Louvre

LOUVRE

Pierre Quoniam

Inspecteur général

honoraire des musées de France

Réunion
des Musées
Nationaux

Sommaire

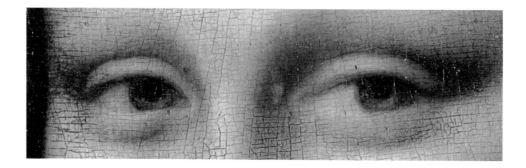

Design : *Grapus 89.*

ISBN : 2-7118-3000-4

Entresol

╱ escaliers
  mécaniques
╭ escaliers
• toilettes

▨ Antiquités orientales
   Arts d'Islam
▨ Antiquités égyptiennes
▨ Antiquités grecques,
   étrusques et romaines
▨ Objets d'art
▨ Sculptures
▨ Arts graphiques
▨ Peintures

▨ Louvre médiéval

RICHELIEU

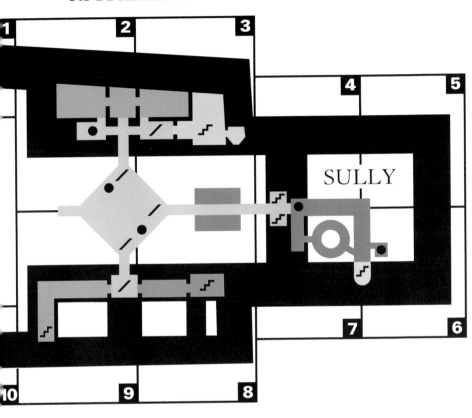

SULLY

DENON

Rez-de-chaussée

/ escaliers
mécaniques
♪ escaliers
• toilettes

■ Antiquités orientales
Arts d'Islam
■ Antiquités égyptiennes
■ Antiquités grecques,
étrusques et romaines
■ Objets d'art
■ Sculptures
■ Arts graphiques
■ Peintures

■ Louvre médiéval

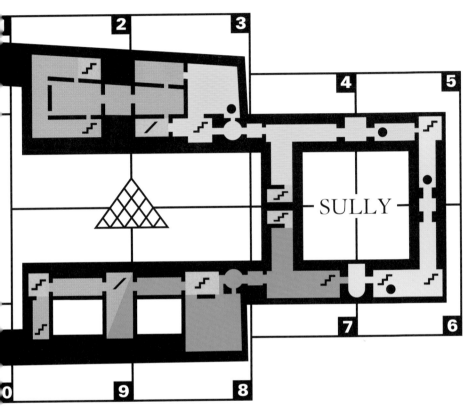

SULLY

Premier étage

↗ escaliers
mécaniques
↗ escaliers
• toilettes

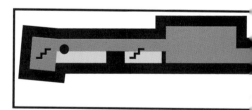

Antiquités orientales
Arts d'Islam
Antiquités égyptiennes
Antiquités grecques,
étrusques et romaines
Objets d'art
Sculptures
Arts graphiques
Peintures

Louvre médiéval

RICHELIEU

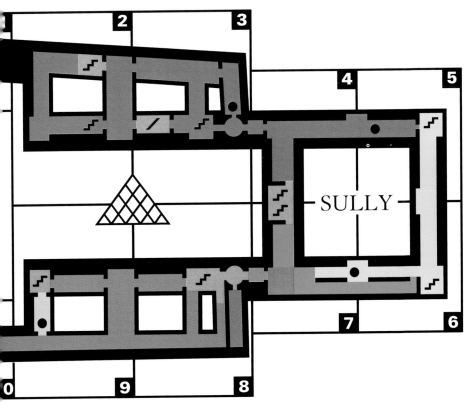

SULLY

DENON

Deuxième étage

■ Peintures

   Peintures françaises :
   XIVᵉ-XVIIᵉ siècle   **3** **4** **5**
   XVIIIᵉ-XIXᵉ siècle   **5** **6** **7**

   Expositions-dossiers   **10**

   Salle d'information   **3**

   Peintures, Ecoles du Nord :
   Hollande, Flandres,   **2** **3**
   Allemagne

■ Arts graphiques

   Ecole française :
   XVIIᵉ siècle   **4**
   XVIIIᵉ siècle   **5** **6**

   Ecoles du Nord   **3**

   Expositions temporaires   **10**

╱ escaliers
  mécaniques
╔ escaliers
● toilettes

   Antiquités orientales
   Arts d'Islam
   Antiquités égyptiennes
   Antiquités grecques,
   étrusques et romaines
   Objets d'art
   Sculptures
   Arts graphiques
   Peintures

   Louvre médiéval

RICHELIEU

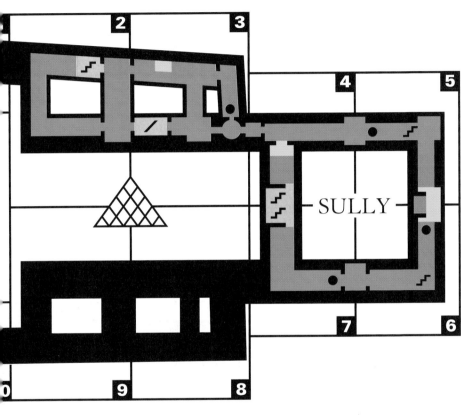

2

3

4

5

SULLY

7

6

0

9

8

DENON

Préface

A la mémoire de Pierre Quoniam

A travers les collections des sept départements qui le composent et correspondent à autant de chapitres de ce livre, le musée du Louvre illustre une histoire, l'histoire de la création artistique.

Les trois départements antiques montrent la naissance et le développement des grandes civilisations de l'Asie antérieure, de l'Egypte et des pays du bassin méditerranéen, depuis le troisième millénaire avant Jésus-Christ jusqu'aux premiers siècles de l'ère chrétienne. Prenant le relais, les quatre départements "modernes" présentent l'art européen, du haut Moyen Age au XIXᵉ siècle, en suivant séparément l'évolution de la sculpture, des arts décoratifs, de la peinture et des arts graphiques.

L'histoire que raconte ainsi le Louvre est-elle complète, impartiale ? Certes pas. Tout d'abord parce que certains chapitres sont traités ailleurs, dans d'autres musées nationaux : la suite, relative à la fin du XIXᵉ siècle puis au XXᵉ siècle, au musée d'Orsay et au musée national d'Art moderne, les épisodes qui concernent l'Asie orientale et extrême-orientale et les arts africains et océaniens, respectivement au musée Guimet et au musée national des Arts d'Afrique et d'Océanie. D'autre part, pour les écoles, pour les cultures, pour les techniques que ses collections lui permettent d'évoquer, le Louvre ne peut, et ne doit pas, se parcourir comme un livre parfait et objectif, où tout figure. C'est à travers ses richesses, mais aussi ses inégalités, ses séries et ses chefs-d'œuvre uniques, ses vedettes et ses figurants que

le musée définit son originalité, ce qui lui donne ses couleurs propres. Il serait donc vain de dresser un palmarès pour distinguer parmi les grands musées du monde – l'Ermitage de Saint-Pétersbourg, le Metropolitan Museum de New York, pour ne pas citer les musées séparés et complémentaires de Londres ou de Berlin et le Louvre –, celui qui surpasse tous les autres. Ce que chacun d'eux donne à voir à son public tient évidemment aux conditions de sa formation, aux vicissitudes de son histoire. La chance unique du Louvre est de pouvoir juxtaposer une galerie princière de l'Ancien Régime (telles celles qui font la gloire de Vienne, de Madrid ou de Florence) composée de pièces insignes et souvent irremplaçables et des collections acquises (comme celles de New York, de Londres ou de Berlin), grâce à une politique constante d'achats et à de providentielles donations privées, au cours du XIXᵉ et du XXᵉ siècle, c'est-à-dire en même temps que s'étendait le champ de l'histoire de l'art et de la curiosité.

Un des agréments du Louvre, qui lui confère une place à part parmi ses pairs, est le cadre qu'il offre à ses collections. Jusqu'à ces dernières années, il donnait déjà des exemples illustres de grande architecture palatiale, du XVIᵉ au XIXᵉ siècle, inclus dans un site urbain exceptionnel. Les travaux récents du "Grand Louvre" élargissent d'un coup le point de vue, d'un côté vers le passé, de l'autre vers le présent. Remontant le temps, les fouilles de la cour Carrée ont révélé les fossés monumentaux du château de Philippe Auguste et de Charles V, symbole du pouvoir monar-

chique, tandis que la cour et le hall Napoléon, signalés par la pyramide d'I.M. Pei, puis la transformation complète en musée de l'ancien ministère des Finances, inscrivent le Louvre dans l'histoire de l'architecture contemporaine.

Michel Laclotte
Directeur du musée du Louvre

Le Palais et le Musée du Louvre

A l'origine, une forteresse médiévale, bâtie sous Philippe Auguste, vers 1200, au point le plus faible de la défense de Paris, en un lieu alors nommé "Lupara", dont la langue française fera "Louvre" – soit, de nos jours, à l'emplacement du quart sud-ouest de la cour Carrée, où ont été dégagés en 1984-1985 et sont présentés en sous-sol ses imposants **vestiges ₁**. De cet ouvrage, lorsqu'il eut perdu son rôle militaire, Charles V (1364-1380) fit, en l'agrandissant et en l'aménageant, une résidence royale **₂**. Mais la nouvelle fonction fut de courte durée : les vicissitudes de la guerre de Cent Ans, puis l'attrait du Val de Loire détournèrent les rois de leur capitale, pendant plus d'un siècle et demi.

Leur retour à Paris entraîna la disparition du vieux château fort. Après avoir, en 1527, fait raser son imposant donjon, François Ier décida, en 1546, de substituer au reste un édifice dans le style de la Renaissance. L'architecte Pierre Lescot, à qui fut confiée l'opération et qui la conduisit sous les derniers Valois, aurait donné le plan d'ensemble du nouveau palais **₃**. Il devait appartenir, en tout cas, aux siècles et aux règnes suivants de poursuivre son œuvre, aux ordonnances classiques et régulières.

Pour relier le Louvre, partiellement transformé, au palais édifié à la même époque, sur l'ordre de Catherine de Médicis, par Philibert Delorme et Jean Bullant, à quelque cinq cents mètres vers l'ouest, au lieu-dit les *Tuileries*, furent ensuite construites la *Petite* et la *Grande Galerie* ou "Galerie du bord de l'eau", à laquelle est attaché le nom d'Henri IV (1589-1610). Au XVIIe siècle,

sous Louis XIII, puis Louis XIV, Lemercier, puis Le Vau élevèrent le reste des bâtiments qui entourent l'actuelle *cour Carrée* et que vient flanquer, à l'est, la **Colonnade de Perrault ₄**.

Au début du XIXe siècle, sous Napoléon Ier, tandis qu'ils complétaient le grand quadrilatère et son décor, Percier et Fontaine entreprenaient la construction de l'aile Nord, symétrique de la Grande Galerie. Un demi-siècle plus tard, pour achever d'enclore l'espace compris entre le Vieux Louvre et les Tuileries, Napoléon III faisait édifier, par Visconti, puis Lefuel, les bâtiments qui bordent au nord et au sud la **Cour Napoléon ₅**. Mais en 1871, la ruine des Tuileries, incendiées, rompait, à l'ouest, l'unité de cet immense ensemble palatial. Seuls devaient être restaurés, en même temps que leurs prolongements immédiats, les deux pavillons d'angle, de Marsan (côté rue de Rivoli) et de Flore (côté Seine).

Si le musée du Louvre n'a vu le jour qu'à la fin du XVIIIe siècle, pendant la Révolution française, l'idée qui présida à sa naissance avait été lancée une quarantaine d'années plus tôt. Son auteur, Lafont de Saint-Yenne, dans un pamphlet dirigé contre le secret des collections royales, suggérait que celles-ci fussent exposées au public dans la Grande Galerie du palais. Répondant à ce vœu, fait leur par d'autres écrivains et philosophes, notamment par Diderot dans l'*Encyclopédie* (article "Louvre", 1765), un premier projet fut soumis, mais sans succès, à Louis XV par le marquis de Marigny, directeur des Bâtiments. Repris sous Louis XVI, le

₁ Les vestiges du château médiéval
Présentation en sous-sol. Au premier plan, tour d'angle nord-est, dite de la Taillerie

2 Le Louvre médiéval: détail du "Retable du Parlement de Paris"

Milieu du XVᵉ siècle

dessein fut étudié avec le plus grand soin par le comte d'Angiviller, successeur de Marigny, mais le mauvais état des finances et les événements politiques empêchèrent son aboutissement.

A la Convention, après la chute de la Royauté, devait revenir le mérite de le réaliser. Institué par un décret du 27 juillet 1793, le "Muséum central des Arts" était inauguré le 10 août suivant. Mais il ne s'agissait que d'une ouverture partielle et provisoire. Progressivement, tout au long de la période révolutionnaire et impériale, la Grande Galerie, où étaient présentées les peintures, et le rez-de-chaussée de la Petite Galerie consacré aux antiquités, firent l'objet d'importants travaux d'aménagement, activement poursuivis à partir de 1802, quand Vivant Denon devint directeur général du musée. Sans cesse enrichi par l'apport des guerres de conquêtes, l'établissement, qui reçut en 1803 le nom de musée Napoléon, devait alors offrir un extraordinaire rassemblement de chefs-d'œuvre, sans doute le plus prestigieux de tous les temps.

Les restitutions imposées en 1815 par les Alliés, vainqueurs de Napoléon, le dispersèrent. Cependant, très rapidement, sous la Restauration et la monarchie de Juillet, les collections du Louvre s'accrurent à nouveau, notamment par le transfert, dans le palais, d'une partie des sculptures du musée des Monuments français, fermé en 1817 et par le développement continu des départements d'Antiquités, grecques et romaines, égyptiennes, orientales. Le musée allait ainsi gagner, de proche en proche, les quatre ailes de la cour Carrée.

Sous le second Empire, la construction de l'aile au centre de laquelle se trouve le pavillon Denon et des trois corps de bâtiment qui, transversalement, la relient à la Grande Galerie, procure, en

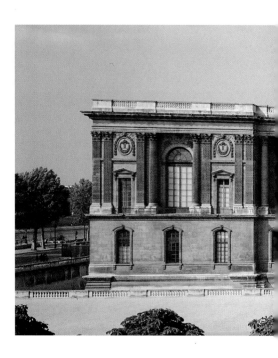

³ Façade de Pierre Lescot, dans la cour Carrée, en 1553
Gravure de Jacques Iᵉʳ Androuet du Cerceau
Bibliothèque nationale

⁴ Palais du Louvre : la Colonnade de Perrault

même temps que des salles nouvelles, des circuits de visite mieux adaptés au nombre et à la diversité des œuvres exposées. Dictés par les progrès de la muséologie autant que par ceux de l'histoire de l'art et de l'archéologie, par l'accroissement ininterrompu des collections, mais aussi par la nécessité d'améliorer l'accueil d'un flot toujours croissant de visiteurs – près de cinq millions par an à présent –, aménagements, réaménagements se succéderont jusqu'à nos jours qui, dans l'histoire de l'établissement, seront marqués par une importante extension : l'aile et le pavillon de Flore, ouverts au public en 1968 et, surtout, par la décision prise en septembre 1981 par le président de la République d'affecter au musée du Louvre les locaux occupés dans le palais par le ministère des Finances.

Décision capitale puisqu'elle offre, en même temps que de nouvelles surfaces à l'intérieur du palais pour un total redéploiement des collections, la possibilité de donner au musée une forme plus compacte, se prêtant mieux à l'orientation et à la circulation des visiteurs que son actuel étirement sur près de sept cents mètres, du pavillon de Flore à la Colonnade. Au milieu de la cour Napoléon, le Louvre a enfin reçu en 1989, l'entrée principale et les structures d'accueil indispensables dont, depuis plus de trois siècles, il était privé et que coiffe la **Pyramide** 6 de verre imaginée par l'architecte I.M. Pei, auteur de cet aménagement.

A l'occasion des travaux, des fouilles archéologiques ont permis de mettre au jour les vestiges du Louvre médiéval, de Philippe Auguste et de Charles V. En 1993, l'ancien ministère des Finances dans l'aile Richelieu, au nord, a été complètement réaménagé, révélant à la fois ses appartements historiques décorés somptueusement sous Napoléon III, et des salles consacrées aux peintures fran-

çaises et nordiques (2ᵉ étage), aux objets d'art (1ᵉʳ étage), aux antiquités orientales (rez-de-chaussée) et islamiques (entresol), ainsi que les sculptures françaises (rez-de-chaussée) qui occupent ausssi les cours couvertes de verrières.

⁵ La cour Napoléon sous le second Empire
Photographie de Ed. Baldus, 1857

6 La Pyramide d'I.M. Pei

Antiquités orientales

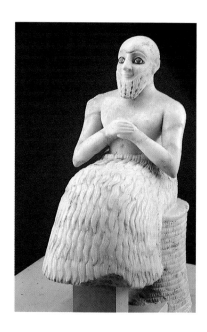

C'est un panorama presque complet des anciennes civilisations de l'Asie antérieure qu'offre le département des Antiquités orientales, installé au rez-de-chaussée, dans la partie orientale de l'aile Richelieu, ainsi que dans la partie septentrionale et dans la moitié occidentale de la cour Carrée. L'histoire de ce département, constitué en 1881, est étroitement liée au développement de la recherche archéologique en Mésopotamie, en Iran, dans les pays du Levant, à Chypre, ainsi que dans l'Afrique du Nord punique : des fouilles de Paul-Emile Botta à Khorsabad en 1843 – dont le produit donna naissance, en 1847, au premier "Musée assyrien" du Louvre –, à celles, contemporaines, de Claude Schaeffer à Ras-Shamra et d'André Parrot à Mari, en passant notamment, par les découvertes de la mission Renan au Liban (1860), de la délégation en Perse dirigée à partir de 1897 par Jacques de Morgan, ou encore par celles des archéologues français qui, en explorant de 1877 à 1933 le site de Tello, en Basse-Mésopotamie, apportèrent la révélation de la civilisation sumérienne.

Particulièrement riche est, d'abord, la section consacrée à la Mésopotamie archaïque, Sumer et Akkad. D'importants monuments illustrent cette période, telle la *Stèle des Vautours*, élevée en 2450 avant Jésus-Christ par Eannatum, prince de Lagash, pour rappeler ses conquêtes. Une statuette d'albâtre, provenant de Mari, chef-d'œuvre de l'art d'inspiration sumérienne, brille d'un singulier éclat : celle que, vers 2500 avant Jésus-Christ, voua à la déesse Ishtar l'intendant **Ebih-il 7**. Au visage du per-sonnage, assis en orant sur un escabeau de vannerie et vêtu d'une jupe en peau de mouton, les incrustations des yeux communiquent une vie intense, accentuée par le début de sourire qui semble flotter sur les lèvres. A l'époque d'Akkad, le roi **Naram-Sin 8**, érigea vers 2270 avant Jésus-Christ une stèle pour commémorer sa victoire sur les barbares des monts Zagros, aux confins de l'Iran et qui, dans une composition magistrale, le représente divinisé, gravissant la montagne boisée et piétinant les vaincus. De la renaissance sumérienne à la fin du IIIe millénaire, sous le règne de l'ensi **Goudea 9**, témoignent plusieurs repré-sentations de ce prince de Lagash, entre autres celle, en calcite, qui le montre tenant un vase, attribut divin, d'où jaillissent des flots poissonneux, vivifiants.

Insigne entre toutes celles du départe-ment et même du musée du Louvre, une pièce, œuvre d'art autant que document d'histoire, atteste mieux qu'aucune autre la grandeur du pre-mier royaume de Babylone : le **Code du roi Hammourabi 10** (1792-1750), découvert en 1901 à Suse (où il avait été ap-porté en butin au XIIe siècle avant Jésus-Christ). Haut de 2,25 mètres, couvert de cunéiformes en colonnes, ce cylindre conique de basalte présente, en langue akkadienne, moins un "code", à proprement parler, qu'un recueil de droit cou-tumier, de sentences exemplaires édictées par le roi "pour faire prendre à son pays la ferme discipline et la bonne condui-te". Au sommet, une scène pleine de majesté montre Hammourabi debout, en prière devant Shamash, dieu du Soleil et de la Justice.

7 Ebih-il, intendant de Mari
Vers 2500 avant JC
Richelieu 3, Rez-de-chaussée

8 Stèle de Naram-Sin, roi d'Agadé

Vers 2270 avant JC

Richelieu 3, Rez-de-chaussée

9 Goudea au vase jaillissant

Vers 2150 avant JC

Richelieu 3, Rez-de-chaussée

Spectaculaires pour la plupart, sont, à
leur tour, les vestiges qui témoignent de
la toute-puissance assyrienne, du IXᵉ au
VIIᵉ siècle avant Jésus-Christ. Eléments
du décor des palais de Nimroud,
de Ninive et, surtout, de Khorsabad, de
grands bas-reliefs évoquent les hauts
faits des souverains bâtisseurs de ces
vastes édifices, ceux notamment
de **Sargon II₁₁** (721-705), ici représenté
dans ses fonctions d'administrateur
suprême, donnant des instructions à
son ministre. Des dimensions du palais
que ce souverain fit construire à
Khorsabad, de colossales sculptures sug-
gèrent l'ampleur : les **Taureaux ailés à tête
humaine ₁₂**, hauts de 4 mètres qui, bons
génies, gardaient en compagnie de
géants dompteurs de lions, les entrées
du palais. Cet ensemble monumental est
désormais remonté dans l'une des cours
de l'ancien ministère des Finances.

Aux civilisations qui s'épanouirent à
l'est de la Mésopotamie, sur le plateau
auquel les envahisseurs iraniens de la fin
du IIᵉ millénaire avant Jésus-Christ don-
nèrent leur nom et au pied de ce plateau, se rapportent d'autres collections.
Céramique peinte, vases zoomorphes,
statuettes d'orants de la Susiane
archaïque, du VIᵉ au milieu du IVᵉ millénaire avant Jésus-Christ ; œuvres éla-
mites, révélatrices de l'influence que la
Mésopotamie exerça sur le royaume de
Suse aux IIIᵉ et IIᵉ millénaires avant
Jésus-Christ, tels le *Dieu souriant* qui
était à l'origine entièrement plaqué d'or
et, parmi les grands monuments de
bronze, la *Statue de la reine Napirasou* ;
témoins de la grandeur de l'empire
perse achéménide, comme l'énorme
Chapiteau orné de taureaux à mi-corps₁₃,
qui sommait une des colonnes du palais
de Darius (521-485), à Suse, ou, provenant du même édifice, le panneau de
briques émaillées qui représente les
Archers de la garde ₁₄, les "Immortels",
corps d'élite de la prodigieuse armée que
défirent les Grecs à Marathon ; terres

¹⁰ Code de Hammourabi, roi de Babylone
1792-1750 avant JC
Richelieu 3, Rez-de-chaussée

¹¹ Sargon II d'Assyrie et son ministre
Fin du VIIIᵉ siècle avant JC
Richelieu 3, Rez-de-chaussée

12 Taureau ailé assyrien

Khorsabad, VIIIe siècle avant JC

Richelieu 3, Rez-de-chaussée

cuites parthes (IIIᵉ siècle avant-IIIᵉ siècle après Jésus-Christ), qu'inspire l'art hellénistique ; pièces somptuaires de la période sassanide (224-651), comme cette applique en forme de **Buste royal 15** de la fin du VIᵉ siècle qui reflète, au contraire, le vigoureux renouveau de l'iranisme à la veille de la conquête arabe.

Rattachés à la même aire de civilisations, un grand nombre d'objets en bronze attestent l'originalité de l'art des hautes vallées du Louristan, sur le rebord occidental du plateau iranien, à l'Age du Fer : armes, "étendards", hachettes et épingles votives, **plaques de mors de chevaux 16** , ornés de génies, d'animaux ou de monstres stylisés.

Avec les antiquités des pays du Levant s'achève cette revue. De Palestine, contrée biblique par excellence, proviennent quelques objets trouvés dans le Négev et dont certains remontent au IVᵉ millénaire.

De la région syro-phénicienne, plusieurs monuments : les uns datent de l'époque romaine, comme le *Mithreum* de Sidon ou le bel ensemble de sculptures palmyréniennes ; d'autres sont contemporaines de la domination perse, comme les sarcophages de Sidon (Vᵉ-IVᵉ siècle avant Jésus-Christ), fortement marqués par la double influence de l'Egypte et de l'Ionie ; d'autres encore appartiennent à de plus hautes époques, telles les pièces, précieuses entre toutes, découvertes à Byblos et, surtout, à Ras-Shamra, l'ancienne Ougarit, point de rencontre privilégié, au IIᵉ millénaire, des civilisations syrienne, égyptienne et mycénienne **17** .

La non moins complexe histoire de Chypre, du Néolithique (vers 4000 avant Jésus-Christ) à l'époque romaine est illustrée par d'abondantes séries de vases, de figurines en terre cuite **18** , de bijoux et de sculptures, tandis que des monuments puniques et libyco-puniques,

13 Chapiteau de l'Apadana

Suse, fin du VIᵉ siècle avant JC

Sully 4, Rez-de-chaussée

14 Archers de la garde de Darius Iᵉʳ

Suse, 521-485 avant JC

Sully 4, Rez-de-chaussée

15 Buste royal sassanide

VIᵉ siècle après JC

Sully 4, Rez-de-chaussée

29

rapportés de Tunisie et d'Algérie, permettent d'évoquer les lointains prolongements de la civilisation phénicienne.

La section des arts de l'islam, rattachée au département des Antiquités orientales, présente ses collections dans douze nouvelles salles aménagées à l'entresol de l'aile Richelieu. L'architecture variée des espaces a favorisé un parcours chronologique qui mène des premiers temps de l'islam aux grands empires modernes, safavide, ottoman et moghol, complété en milieu et en fin de circuit par des présentations thématiques.

Les objets, remarquables par leurs qualités artistiques et techniques, proviennent de différents pays allant de l'Espagne à l'Inde, tels la **Pyxide d'ivoire 19** datée de 968 après Jésus-Christ, au nom d'al-Mughira, prince umayyade d'Espagne, la **Coupe au cavalier chasseur 20**, céramique iranienne du XIIIe siècle après Jésus-Christ à décor de petit feu, le célèbre **Bassin de laiton**, dit **Baptistère de saint Louis 21**, incrusté d'argent et d'or, exécuté en Syrie ou en Egypte vers 1300 après Jésus-Christ ou encore le **Plat au paon 22**, céramique ottomane des ateliers d'Iznik au XVIe siècle après Jésus-Christ et l'expressive *Tête de cheval* en jade incrusté de rubis et d'or qui forme la poignée d'une arme provenant de l'Inde moghole.

L'intérêt des collections de la section réside aussi dans la constitution de grands ensembles d'objets, céramiques, métaux ou verres, qui permettent d'appréhender la production artistique d'une époque ou une technique spécifique. Ceci concerne tout particulièrement la céramique des époques abbasside, seldjukide et ottomane, les métaux ayyubides, mamluks et ceux du Fars, ainsi que les verres émaillés syro-égyptiens. Il faut également noter l'ensemble de boiseries égyptiennes et les objets provenant des fouilles de Suse.

16 Plaque de mors du Louristan

VIIIe siècle avant JC

Sully 4, Rez-de-chaussée

7 Patère en or *dite* de la Chasse

Ras-Shamra, XIVᵉ siècle avant JC

Sully 4, Rez-de-chaussée

18 Mère à l'enfant

Idole chypriote en terre cuite, vers 2000 avant JC

Sully 4, Rez-de-chaussée

31

19 Pyxide d'al-Mughira

Cordoue, 968 après JC

Richelieu 3, Entresol

20 Coupe au cavalier chasseur

Iran, XIIIᵉ siècle après JC

Richelieu 3, Entresol

21 Bassin *dit* Baptistère de saint Louis
Syrie ou Egypte 1300 après JC
Richelieu 3, Entresol

22 Plat au paon
Iznik, XVIᵉ *siècle après* JC
Richelieu 3, Entresol

33

Antiquités égyptiennes

Autre ensemble de renommée archéologique mondiale, mais de création plus ancienne (1826) que le précédent, le département des Antiquités égyptiennes, que n'ont cessé d'enrichir donations et achats, a en outre bénéficié, lui aussi, de la fructueuse activité des savants français, à commencer par celle de son fondateur et premier conservateur, Jean-François Champollion, auteur du déchiffrement des hiéroglyphes. Aussi, ses collections permettent-elles aujourd'hui de suivre, dans toute la continuité de leur évolution, la civilisation et l'art de l'Egypte ancienne, des origines à l'ère chrétienne. Elles sont exposées au rez-de-chaussée du quart sud-est des bâtiments de la cour Carrée, dans l'escalier dit égyptien et, au premier étage de l'aile méridionale, dans une suite de salles donnant sur la cour, auxquelles leur décoration, réalisée de 1827 à 1833, vaut, en même temps qu'un respectable et respecté caractère historique, le nom de "musée Charles X". Un nouvel aménagement permettra au département de déployer ses collections au rez-de-chaussée et au premier étage de l'aile est de la cour Carrée.

Si aux yeux de beaucoup, l'attrait principal de ce département réside dans l'exceptionnelle richesse de la documentation que, sur la vie et les coutumes des habitants de la vallée du Nil dans l'Antiquité, procurent d'innombrables textes, figurations et objets usuels de toutes sortes (armes, outils, récipients, éléments de mobilier, pièces de vêtements, objets de toilette, bijoux, jeux, jouets, accessoires du scribe, instruments de musique, etc.) **23, 31, 35, 36**, l'attention de la majorité des visiteurs est surtout

retenue par une brillante série de chefs-d'œuvre, dont quelque-uns comptent parmi les plus célèbres de l'art égyptien.

Ainsi, le **Poignard du Guébel el-Arak 24** (vers 3300-3200 avant Jésus-Christ) au manche d'ivoire décoré de scènes de guerre et de chasse, illustre-t-il les

23 Harpe trigone
Epoque saïte, VIIe-VIe siècle avant JC

Sully 6, Premier étage

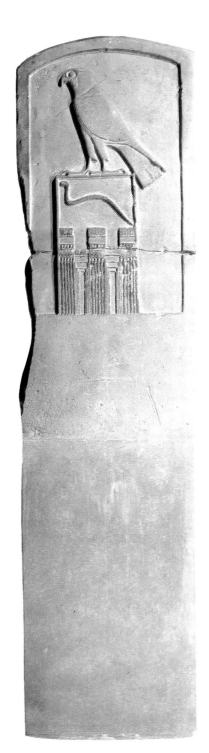

24 Poignard du Guébel el-Arak
Epoque prédynastique,
vers 3300-3200 avant JC

Sully 6, Rez-de-chaussée

25 Stèle du roi Serpent
Epoque thinite, vers 3100 avant JC

Sully 6, Rez-de-chaussée

26 Tête du roi Didoufri
Ancien Empire, vers 2570 avant JC

Sully 6, Rez-de-chaussée

35

premières manifestations de cet art, en même temps qu'il souligne l'influence asiatique qui domine la période prédynastique. Mais, à l'époque thinite, sous les deux premières dynasties, s'affirme l'originalité de la sculpture égyptienne, parvenue, dès les premiers siècles du IIIᵉ millénaire, à une remarquable technique. De cette précoce maîtrise témoigne un insigne monument en calcaire, remontant à l'an 3100 avant Jésus-Christ environ et qui provient de la nécropole royale d'Abydos : la **Stèle du roi Ouadji**, *dite* **du roi Serpent 25**. Sa décoration, tout à la fois sobre et majestueuse, présente la façade et, projetée suivant un plan vertical, l'enceinte du palais du souverain, surmontée de l'image protectrice du faucon, oiseau du dieu Horus en qui s'incarnait la dynastie égyptienne, tandis qu'à l'intérieur est figuré le serpent qui servait à écrire le nom du roi.

A la grandeur, qui caractérise les créations de cette époque archaïque, les œuvres de l'Ancien Empire (vers 2700-2200), qu'elles soient taillées dans la pierre ou dans le bois, qu'il s'agisse de statues ou de bas-reliefs, vont ajouter le réalisme, dont la vigueur, sous les IVᵉ et Vᵉ dynasties, donne un incomparable accent de vérité à plusieurs pièces conservées au Louvre. Particulièrement sensible dans la tête, en quartzite rose, du roi **Didoufri 26**, ayant probablement appartenu à un sphinx ou, en dépit des mutilations, dans l'émouvant groupe en bois du **Fonctionnaire memphite et de sa femme 27**, cette tendance à exprimer intensément la personnalité de l'individu se donne libre cours dans une des œuvres les plus fameuses de l'art de l'ancienne Egypte : le **Scribe accroupi 28**. Découverte à Sakkara, dans une chapelle, cette statuette, en calcaire peint, figure peut-être un administrateur de province appelé Kaï, dont le département possède une autre statue, trouvée dans la même tombe. Anonyme ou non, le personnage, calame à la main,

27 Fonctionnaire memphite et sa femme
Ancien Empire, vers 2350-2200 avant JC

Sully 6, Rez-de-chaussée

²⁸ Le Scribe accroupi

Ancien Empire, vers 2500 avant JC

Sully 6, Rez-de-chaussée

²⁹ Amenemhatankh, "chef des prophètes"

Moyen Empire, vers 1850 avant JC

Sully 6, Rez-de-chaussée

37

papyrus étalé sur les genoux, fascine par sa vivante physionomie, au regard pétillant d'intelligence, attentivement fixé sur celui dont les paroles sont à consigner, impression qu'accentuent les incrustations des yeux (quartz blanc opaque pour la cornée, cristal de roche pour l'iris et, pour la pupille, bois d'ébène).

Si, au Moyen Empire (2060-1786), sous les XIᵉ et XIIᵉ dynasties, le parti pris de réalisme demeure manifeste, du moins, dans bien des cas, commence-t-il à s'idéaliser. Deux pièces de nos collections le montrent bien : la statue en grès d'**Amenemhatankh**, "chef des prophètes" **29**, d'une facture sévère mais harmonieuse ; celle, d'autre part, en bois stuqué et peint, de la gracieuse **"Porteuse d'offrandes" 30**, au corps svelte et allongé, délicatement modelé sous la tunique transparente, recouverte d'une résille de perles.

Cette tendance à l'idéalisation, de plus en plus raffinée, se précise sous le Nouvel Empire (vers 1555-1080), époque de gloire et de prospérité incomparable dans l'histoire de la vallée du Nil. La toute-puissance du pharaon, l'éclat de la vie de la Cour, la richesse des classes dirigeantes donnent naissance à un art véritablement "classique", le mieux approprié, finalement, à l'idéal de beauté du peuple égyptien : une esthétique où la douceur et la grâce viennent tempérer la recherche de la grandeur et de la noblesse. Entre tous les chefs-d'œuvre du département qui en portent témoignage, le choix n'est pas aisé. Beaucoup de visiteurs s'arrêteront devant la statue en diorite de **Nephthys 32**, marquée au nom d'Aménophis III (vers 1403-1365), pour admirer la sobre élégance avec laquelle est rendu le corps de la déesse, représentée debout, pressant contre elle un sceptre papyriforme. Nombreux aussi, sûrement, seront ceux que retiendra un bas-relief en calcaire peint, détaché de la tombe de **Séthi Iᵉʳ 33** (vers 1303-1290),

30 La "Porteuse d'offrandes"
Moyen Empire, vers 2000-1800 avant JC
Sully 6, Premier étage

31 Stèle d'Antef
Haut fonctionnaire de Thoutmosis III, vers 1490-1439 avant JC

Sully 6, Rez-de-chaussée

32 Déesse Nephthys
Nouvel Empire, vers 1400 avant JC

Sully 6, Rez-de-chaussée

39

dans la Vallée des Rois, où l'on voit la déesse Hathor, vêtue d'une éblouissante tunique, tendre au souverain son collier-attribut ; ils y trouveront un des meilleurs exemples de la sensibilité et du charme de l'art de cette période.

D'autant plus surprenante leur paraîtra une œuvre qui se situe chronologiquement entre les deux précédentes : l'extraordinaire buste colossal en grès d'**Aménophis IV-Akhénaton 34** (vers 1365-1349), remis par l'Egypte à la France en reconnaissance de la part prise par celle-ci à la sauvegarde des monuments de la Nubie. Effet d'une brève révolution qui se traduisit, dans l'art comme dans la doctrine religieuse, par une singulière poussée de naturalisme, cette tête colossale exécutée pour être vue de bas en haut – son sommet s'élevait à près de 4 mètres au-dessus du sol –, est tout à fait typique de la statuaire officielle du début de l'époque amarnienne : un art tout en profondeur, animé par un réalisme qui, résolument introspectif, ne recule pas devant les exagérations, voire les outrances, pour mieux éclairer l'intense vie spirituelle de l'"inspiré" d'Aton.

D'autres œuvres de belle qualité rappellent ensuite les efforts déployés par les sculpteurs égyptiens sous les dernières dynasties indigènes pour faire revivre le réalisme de l'art de l'Ancien Empire. De cette tendance archaïsante, associée à la stylisation par l'allongement du corps, une élégante statuette en bois de la XXXe dynastie (380-342) est particulièrement caractéristique : celle d'un homme debout, vêtu d'une longue tunique et dont le crâne rasé indique qu'il exerçait des fonctions sacerdotales 37.

Les derniers temps de l'Egypte ancienne – ptolémaïque, romaine et byzantine – sont également représentés au Louvre par d'abondantes séries d'antiquités. Les plus riches ont permis de consacrer une section à l'art copte.

33 **La Déesse Hathor protégeant Séthi Ier**
Nouvel Empire, vers 1300 avant JC

Sully 6, Rez-de-chaussée

Aménophis IV-Akhénaton

Vers 1365-1349 avant JC

Sully 6, Premier étage

35 Cuiller à fard *du type dit* "à la nageuse"

XIVe siècle avant JC

Sully 6, Premier étage

Morceaux d'architecture, reliefs en pierre ou en bois, tapisseries et vêtements,
bronzes liturgiques, ivoires, verreries,
céramiques révèlent, successivement, les
sources pharaoniques et surtout gréco-
romaines de cet art, ses débuts au
IVe siècle après Jésus-Christ, son
épanouissement à l'époque chrétienne
(Ve-VIIe siècle), enfin, après la conquête
arabe (641), sa prolongation jusqu'au
XIIe siècle. La nouvelle présentation des
collections coptes a offert,·entre autres
avantages, la possibilité de reconstituer
partiellement, à partir d'éléments de son
décor architectural interne et externe,
une église élevée au VIe siècle et utilisée
au moins jusqu'au IXe siècle : celle du
monastère de Saint-Apollo, à Baouît,
village de la Moyenne-Egypte. Près des
montants de l'arc triomphal a été placée
une peinture sur bois d'une grande beauté, provenant d'une chapelle du monastère : **Le Christ protégeant l'abbé Ména 38**,
supérieur du couvent (VIIe siècle).

36 Sarcophage du chancelier Imeneminet
(cuve, couvercle et intérieur du couvercle)
VIIIe siècle avant JC

Sully 7, Premier étage

37 Prêtre anonyme

Basse Epoque, IVᵉ siècle avant JC

Bois

Sully 6, Premier étage

38 Le Christ protégeant l'abbé Ména

VIIᵉ siècle après JC

Sully 6, Rez-de-chaussée

43

Antiquités grecques, étrusques et romaines

Ce troisième département archéologique est l'héritier du "musée des Antiques" ouvert au Louvre en 1800. A des pièces des collections royales s'ajoutèrent, dans ce premier fonds, quantité d'œuvres prélevées en Italie, à la suite des victoires françaises, mais dont un petit nombre échappèrent aux reprises effectuées par les Alliés en 1815. Très vite cependant, le musée s'enrichit à nouveau d'antiquités grecques, étrusques et romaines et, jusqu'à nos jours, incessantes furent les acquisitions qui ont fait de ce département un des hauts lieux de l'archéologie classique. Ces collections occupent, d'une part, la galerie Daru, la cour du Sphinx et, au rez-de-chaussée également, le quart sud-ouest des bâtiments de la cour Carrée, d'autre part, au premier étage, les salles de l'aile méridionale de cette cour qui donnent sur la Seine, ainsi que, dans l'aile occidentale, la salle Henri II et la salle des Bronzes. Les nouvelles implantations prévues par le projet du Grand Louvre confirment le département des Antiquités grecques, étrusques et romaines dans les salles et galeries qui lui étaient déjà affectées, en y adjoignant les espaces qui, sous la galerie Daru, bordent la cour Visconti au nord et la moitié de la galerie qui, au premier étage, se trouve dans l'aile sud de la cour Carrée. Le réaménagement que suppose cette augmentation est en cours d'élaboration.

Point de chapitre de l'histoire de l'art antique, des origines de l'hellénisme **39** aux derniers temps de l'Empire de Rome, qui ne soit ici illustré, et souvent de façon insigne. Marbres, bronzes, céramiques, orfèvreries, ivoires, verreries, fresques, mosaïques concourent, tour à tour ou simultanément, à cette brillante revue.

La sculpture y participe, de bout en bout, avec tant de chefs-d'œuvre que, là encore, la sélection s'avère des plus difficiles. A coup sûr, pour la période archaïque, qui s'étend du VIIe au début du Ve siècle avant Jésus-Christ, doit-on au moins mentionner, conjointement, deux pièces dont la comparaison met bien en évidence ce qui différencie les deux principaux courants où s'est nourri l'art grec : la dorienne **Dame d'Auxerre 40** et l'ionienne **Coré de Samos 41**. La première – ainsi nommée parce qu'elle fit partie d'une collection aux environs d'Auxerre –, est l'un des plus anciens exemplaires connus de la statuaire grecque (vers 630 avant Jésus-Christ) : de petite dimension, les pieds joints, le corps solidement charpenté, gainé dans une tunique rigide serrée à la taille par une large ceinture, les épaules couvertes d'une courte pèlerine et la tête d'une lourde perruque de type égyptien, cette œuvre, qui rend sensible le rôle d'initiatrice joué par la Crète, frappe par la sobriété, la sévérité de son style. Plus récente (vers 560 avant Jésus-Christ), la seconde, dont la forme cylindrique traduirait une influence mésopotamienne, révèle un tout autre état d'esprit : le délicat modelé des formes à peine esquissées ; la vie, qui mystérieusement paraît les animer ; la légèreté des étoffes et l'élégance de leur drapé appartiennent en propre à l'Ionie d'où provient cette figure ancienne de Coré, dont un pendant, identique à l'inscription près, vient d'être trouvé dans le même sanctuaire à Samos. Les deux statues, installées

39 Idole cycladique
Kéros, deuxième moitié du IIIe millénaire

Marbre

Sully 7, Premier étage

40 Dame d'Auxerre
Vers 630 avant JC

Denon 8, Rez-de-chaussée

41 Coré de Samos
Vers 560 avant JC

Denon 8, Rez-de-chaussée

45

probablement sur une plinthe révélée
par la même fouille, étaient toutes deux
dédiées par un certain Chéramyes à la
déesse Héra. Et comment ne pas signa-
ler non plus, entre tous les témoins de
l'archaïsme grec conservés au Louvre,
ce "chef-d'œuvre de finesse aiguë et
de grâce décorative" (J. Charbonneaux)
qu'est la **Tête Rampin** 42 (vers 550 avant
Jésus-Christ), élément d'un groupe
de deux cavaliers victorieux, dont le
torse et une partie du corps du cheval
sont au musée de l'Acropole, à Athènes,
ainsi que d'autres fragments.

La période classique, le Vᵉ siècle avant
Jésus-Christ tout particulièrement, est
représentée dans nos collections par de
nombreuses pièces en ronde bosse
de grande qualité, telle la célèbre tête
Laborde, mélange de douceur, de
pureté et d'énergie, dans laquelle a été
reconnue la tête de la *Niké* conductrice
du char d'Athéna qui ornait le fronton
ouest du Parthénon, à Athènes. Mais
c'est encore la juxtaposition de deux
œuvres capitales, des reliefs cette fois,
qui fait le mieux apparaître, en même
temps que les progrès décisifs accomplis
par la plastique grecque en un siècle,
la spécificité artistique de chacune
des deux plus grandes "écoles" d'où
jaillit cet épanouissement : une **Métope** 43
du temple de Zeus, à Olympie, construit
entre 470 et 460 avant Jésus-Christ, et
un fragment de la **Frise des Panathénées** 44
du Parthénon, exécutée, comme la tête
Laborde, entre 442 et 432 avant Jésus-
Christ. La simplicité et la puissance de
la composition, en diagonales croisées,
d'*Héraclès domptant le taureau de Crète*,
la robustesse des corps aux formes
pleines, le modelé un peu sec qui, en
accentuant les ombres, fait saillir les
muscles, sont tout à fait typiques de la
technique dorienne. De l'art attique qui,
de façon aussi harmonieuse qu'originale,
combine en les unissant les qualités
opposées du dorisme et de l'ionisme, les
Ergastines – nées, comme le reste de la

42 **Tête Rampin**
Milieu du Vᵉ siècle avant JC

Denon 8, Rez-de-chaussée

43 Héraclès et le taureau de Crète

Olympie, vers 460 avant JC

Sully 7, Rez-de-chaussée

44 Les "Ergastines", frise des Panathénées

Parthénon, 442-432 avant JC

Sully 7, Rez-de-chaussée

47

décoration du Parthénon, de l'inspiration de Phidias – sont, de leur côté, aussi caractéristiques : soin extrême dans l'exécution, science discrète du rythme, vivante autant que gracieuse majesté des attitudes, tout, dans ce solennel défilé des jeunes filles qui ont tissé le voile offert en procession, tous les quatre ans, à Athéna, donne l'impression de la perfection même.

A partir du IVe siècle avant Jésus-Christ, de plus en plus attirés par la vérité humaine, les artistes grecs s'éloignent progressivement de l'idéal classique : le pathétique de Scopas, la sensualité de Praxitèle, l'héroïsme de Lysippe ouvrent les voies dans lesquelles va s'engager la sculpture des temps hellénistiques. De cette évolution, maintes œuvres exposées dans nos galeries apportent de précieux témoignages, comme, pour s'en tenir à des types masculins, l'**Apollon sauroctone** 45 , dont l'original naquit vers 350 avant Jésus-Christ de la main de Praxitèle, ou le **Gladiateur Borghèse** 46 , signé d'un artiste du Ier siècle avant notre ère, Agasias d'Ephèse, qui s'inspira manifestement d'un modèle lysippique.

Deux statues de cette période ne peuvent, en tout cas, être passées sous silence, en raison de leur contribution à l'universelle renommée du musée du Louvre : la **Victoire de Samothrace** 47 et la **Vénus de Milo** 48 . Dressée, les ailes déployées, à la proue d'une galère, semblant lutter contre le vent qui plaque sur son corps une souple draperie, la première – qui, à Samothrace, devait, logée dans une vaste niche, dominer un "paysage d'architecture" – commémorerait une victoire navale des Rhodiens à la fin du IIIe ou au début du IIe siècle avant Jésus-Christ, événement qu'elle annonçait de son bras droit levé, pense-t-on, à la suite de la découverte, en 1950, de sa main droite ouverte. Tenu pour un des chefs-d'œuvre de l'art antique et, généralement, pour un des

45 Apollon sauroctone
Réplique d'un original de Praxitèle, vers 350 avant JC
Sully 7, Rez-de-chaussée

46 Gladiateur Borghèse
Ier siècle avant JC
Sully 7, Rez-de-chaussée

47 Victoire de Samothrace

Fin du IIIᵉ-début du IIᵉ siècle avant JC

Denon 8, Premier étage

plus parfaits modèles de la beauté fémi-
nine, l'original qu'est l'Aphrodite mise
au jour en 1820 dans l'île de Milo,
daterait de la fin du IIe siècle avant
notre ère ; c'est du moins ce qu'attestent
de sérieux critères stylistiques : "Les
proportions du corps, le caractère mou-
vant des lignes, le contraste très étudié
entre la draperie aux plis tourmentés et
la nudité du torse" (J. Charbonneaux),
même si la sérénité du visage a pu, autre-
fois, faire penser au génie de Phidias.

Enfin, les sculptures de la période
romaine occupent dans nos collections
une large place. Si toutes, à des degrés
divers, montrent bien ce que l'art de
Rome et des provinces doit à celui de la
Grèce et du monde hellénistique, beaucoup d'entre elles appartiennent aux
deux branches dans lesquelles s'est alors
manifestée une réelle originalité : le portrait et le relief historique.
D'abondantes séries de statues, de bustes
et de têtes, effigies d'empereurs, de
membres de la famille impériale ou de
simples particuliers, permettent en effet
d'illustrer de façon très complète l'histoire du portrait, de l'époque républicaine
au Bas-Empire, certaines pièces comp-
tant parmi les chefs-d'œuvre du genre,
telles que le **Buste d'Agrippa 49**, collabo-
rateur et gendre d'Auguste, ou la tête en
basalte de *Livie*, femme de cet empereur, ou encore celle, combien exquise et
émouvante, d'un **Jeune prince de la famille
des Antonins 50**. De même, peut-on
suivre, de la fin du IIe siècle avant Jésus-
Christ au IIe siècle de notre ère, l'évolution des reliefs historiques qui consti-
tuaient le principal décor des édifices
commémoratifs romains : le plus ancien
et, certainement, le plus typique de ces
"tableaux sculptés" est, au Louvre, la
frise qui ornait l'un des côtés d'une
grande base rectangulaire consacrée dans
le temple de Neptune, à Rome et à
laquelle a été donnée – à tort, semble-t-il
aujourd'hui – le nom d'**Autel de Domitius
Ahenobarbus 51** (les trois autres côtés de

48 Vénus de Milo
Fin du IIe siècle avant JC
Sully 7, Rez-de-chaussée

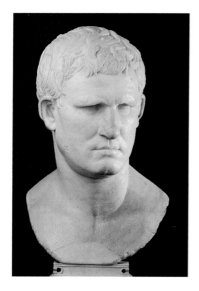

49 Buste d'Agrippa

Début du Ier siècle après JC

Denon 8, Rez-de-chaussée

50 Portrait de jeune prince de la famille des Antonins

160 après JC

Denon 8, Rez-de-chaussée

51 Autel de Domitius Ahenobarbus

(partie centrale)

Fin du IIe-début du Ier siècle avant JC

Denon 8, Rez-de-chaussée

cette frise sont à la Glyptothèque de Munich) ; on y voit essentiellement figuré le sacrifice des Suovetaurilia : de part et d'autre de l'autel, dans la partie centrale, le dieu Mars et un magistrat, probablement le dédicant. Sans doute, à côté de cette œuvre, un fragment de frise de la célèbre **Ara Pacis 52**, l'autel de la Paix consacré à Rome par Auguste en 9 avant Jésus-Christ, paraîtra-t-il plus grec par la qualité du dessin, la variété des attitudes et du drapé, la tenue du relief ; mais la procession qu'il représente n'en est pas moins romaine par la diversité des plans, la densité du groupement et, singulièrement, par le caractère véridique – et non idéalisé comme dans le défilé des *Ergastines* – de la mise en scène.

Egalement précieux pour la connaissance de la sculpture – surtout lorsqu'il s'agit de chefs-d'œuvre comme l'**Apollon de Piombino 53**, dont la qualité d'exécution est plus certaine que la date de sa création qui oscille, suivant les opinions, de 500 avant Jésus-Christ jusqu'au Ier siècle de notre ère – les bronzes permettent aussi de découvrir maints aspects des civilisations grecque, étrusque et romaine. Dans la salle qui leur est consacrée, statues, statuettes, figurines voisinent en effet avec quantité d'autres objets, recommandés pour leur ornementation ou pour leur usage, ou pour les deux à la fois : **miroirs 54**, cistes, lampes, armures, éléments de mobilier, ustensiles divers. Moins abondante, l'orfèvrerie gréco-romaine est cependant représentée au Louvre par une magnifique collection de bijoux d'or, ainsi que par un grand nombre de pièces d'argenterie, dont les plus célèbres ont été découvertes à Boscoreale, près de Pompéi **55**.

Fresques et, indirectement, **mosaïques 56** témoignent, par quelques bons exemples, de la qualité de la peinture gréco-romaine, mais c'est avant tout par ses séries céramiques que le musée se

52 Frise de l'Ara Pacis
(fragment)
Fin du Ier siècle avant JC
Denon 8, Rez-de-chaussée

53 Apollon de Piombino
Vers 500 avant JC ?

Denon 8, Rez-de-chaussée

54 Miroir gravé étrusque
IIIe siècle avant JC

Denon 8, Rez-de-chaussée

distingue pour cette branche de l'art antique. Exposée dans les salles de la galerie Campana – du nom du très riche fonds acheté en 1863 –, la collection de vases grecs, de réputation mondiale, offre un panorama complet de toutes les écoles et de tous les styles, des céramiques dites géométriques (IXᵉ-VIIIᵉ siècle avant Jésus-Christ) aux productions hellénistiques les plus récentes (IIᵉ siècle avant Jésus-Christ) **57, 58, 59**. Documents d'histoire, mais aussi œuvres d'art originales (alors que la sculpture et la peinture grecques ne sont en très grande partie connues qu'à travers des copies d'époque romaine), certaines signées de grands maîtres, tels qu'Exékias (550-530 avant Jésus-Christ environ) – céramique attique à figures noires – ou Euphronios (520-500 avant Jésus-Christ) – céramique attique à figures rouges. A la suite, dans la dernière salle de la même galerie, est présenté le meilleur d'une importante collection de figurines en terre cuite, particulièrement renommée pour les pièces issues, à l'époque hellénistique, des ateliers de Tanagra **60**, et de Myrina.

55 **Gobelet de Boscoreale**

Iᵉʳ siècle après JC

Sully 3, Premier étage

56 Jugement de Pâris
Mosaïque d'Antioche, IIᵉ siècle après JC
Denon 8, Rez-de-chaussée

57 Vase protocorinthien en forme de chouette

VIIe siècle avant JC

Sully 7, Premier étage

58 Idole-cloche

Béotie, vers 700 avant JC

Sully 7, Premier étage

59 Héraclès et Antée

Cratère en calice signé par Euphronios, vers 510 avant JC

Sully 7, Premier étage

60 La "Sophocléenne"

Tanagra, fin du IV siècle avant JC

Sully 6, Premier étage

57

Peintures

De tous les musées du monde, le Louvre est sans doute celui qui possède la collection de peintures, sinon la plus nombreuse, du moins la plus complète. Trouvant son origine dans le "cabinet des tableaux" constitué à Fontainebleau par François Ier, cette collection, singulièrement enrichie par Louis XIV – un inventaire dressé en 1709-1710 dénombrait près de quinze cents peintures –, s'accrut, après la chute de la Royauté, des confiscations opérées sur les biens d'Eglise et sur ceux des émigrés, puis, à la suite des victoires révolutionnaires et impériales, des saisies pratiquées dans plusieurs pays d'Europe. Considérablement réduite par les restitutions de 1815, elle prit un nouvel essor, surtout à partir du second Empire, faisant depuis lors, à la faveur de multiples donations et achats, l'objet d'une politique d'acquisitions éclectique, conforme à la diversité du fonds rassemblé. Sa présentation s'étend à la totalité du second étage de l'aile Richelieu et de la cour Carrée ainsi qu'à la partie située au premier étage de

Anonyme

61 **Portrait du roi Jean le Bon**
Vers 1360

Richelieu 3, Deuxième étage

Jean FOUQUET

62 **Portrait du roi Charles VII**
Vers 1445

Richelieu 3, Deuxième étage

Enguerrand QUARTON
63 Pietà de Villeneuve-lès-Avignon
Vers 1460
Richelieu 3, Deuxième étage

59

l'aile Denon, à l'ouest de la galerie d'Apollon – notamment, au salon Carré, à la Grande Galerie et à la salle des Etats.

Qu'à l'école française appartiennent les deux tiers des tableaux conservés au Louvre, on ne saurait s'en étonner. Pièces maîtresses, d'abord, des XIVᵉ et XVᵉ siècles, telle la **Pietà de Villeneuve-lès-Avignon 63** , chef-d'œuvre austère et grandiose du Moyen Age finissant, aujourd'hui attribué à Enguerrand Quarton, originaire du dio-cèse de Laon, mais dont on sait qu'il travailla en Provence de 1444 à 1466; tel aussi, d'un anonyme, vers 1360, le **Portrait du roi Jean le Bon 61** , le plus ancien tableau français de chevalet connu, en même temps que le premier d'un genre où s'illustrera particulière-ment, au siècle suivant, Jean Fouquet avec, pour commencer (vers 1445), un **Charles VII 62** "encore gothique par sa mise en page serrée". Au XVIᵉ siècle, tandis que se poursuit l'épanouissement de ce genre, dominé alors par le talent des Clouet, les décorateurs italiens ap-pelés à Fontainebleau par François Iᵉʳ introduisent en France un art maniériste, plein d'élégance et de raffinement, com-me le montre cette **Diane chasseresse 64** , d'un maître inconnu (vers 1550), dans laquelle on a cru reconnaître le portrait idéalisé de la favorite du roi Henri II, Diane de Poitiers. De tous les peintres qui subirent l'empreinte de l'école de Fontainebleau, il en est peu qui possédè-rent une aussi forte personnalité qu'Antoine Caron : chargé d'allégories, selon le goût du temps, son **Massacre des Triumvirs 65** , daté de 1566, est une allu-sion à peine voilée aux premières vio-lences des guerres de religion.

C'est en Italie même, à Rome surtout, qu'au début du XVIIᵉ siècle, après une période de crise, les peintres français vont chercher le renouvellement de leur art; la plupart, tels Valentin ou Vignon,

Ecole de Fontainebleau
64 **Diane chasseresse**
Vers 1550
Richelieu 3, Deuxième étage

Antoine CARON
65 Le Massacre des Triumvirs
1566
Richelieu 3, Deuxième étage

61

le trouvent dans les œuvres de Caravage, dans ses thèmes populaires ou religieux, dans ses éclairages contrastés et dramatiques [99]. Tributaire, lui aussi, de ce puissant rénovateur de la peinture européenne, Georges de La Tour affectionne les scènes nocturnes et intimes auxquelles la lueur vacillante d'une chandelle ou d'une torche, mais aussi une simplification toute personnelle des formes et, non moins originale, une sobre harmonie des couleurs confèrent une atmosphère de mystère [66, 67]. Des trois frères Le Nain, plus attirés encore par l'expression de la réalité familière, Louis est incontestablement celui qui, avec une sensibilité exempte de sensiblerie, a le mieux traduit, en même temps que leur rusticité, la dignité des plus humbles existences [68].

Maître par excellence du classicisme français, théoricien, philosophe, poète, Nicolas Poussin, qui passa presque toute sa vie à Rome, est, plus que tout autre à cette époque, hanté par le souci de la perfection de son art, où le paysage, servant de cadre à des sujets bibliques, mythologiques ou historiques, finit par occuper une place prépondérante [69]. "Romain", lui aussi, et paysagiste également, mais moins intellectuel, plus anecdotique, plus lyrique, Claude Gellée, dit Le Lorrain, est avant tout occupé par l'étude de la lumière, de ses variations aux différents moments du jour et de ses reflets dans l'eau [70] : on s'est plu à voir en lui un des précurseurs de l'impressionnisme.

Le portrait n'est pas pour autant négligé par nos peintres du XVIIᵉ siècle ; il offre, au contraire, à plusieurs grands tempéraments l'occasion de s'exprimer pleinement. D'origine flamande, auteur d'effigies officielles de Louis XIII et de Richelieu, Philippe de Champaigne produira son principal chef-d'œuvre en devenant l'iconographe attitré du jansénisme : L'Ex-voto de 1662 [71], qu'il exécuta

Georges de La Tour
66 **Saint Thomas**
Vers 1630

Sully 4, Deuxième étage

Georges de LA TOUR

67 Saint Joseph charpentier

Vers 1640

Sully 4, Deuxième étage

pour remercier Dieu de la guérison de sa fille Catherine, religieuse à Port-Royal, ici représentée auprès de la Mère Agnès Arnauld, au moment où l'abbesse reçoit la révélation du miracle. Fort éloignés de cette austère et fervente action de grâces, le sémillant et académique *Chancelier Séguier* (vers 1655-1657), de Charles Le Brun, le fastueux et solennel **Louis XIV 72** (1701), de Hyacinthe Rigaud, sont aussi admirés pour la subtilité de l'observation psychologique dont, dans l'une et l'autre compositions, les visages témoignent.

A l'aube du XVIIIe siècle, Antoine Watteau ouvre d'autres voies, renouvelant sujets et techniques. Si les scènes et les personnages du théâtre contemporain, italien et français, inspirent souvent l'auteur du **Gilles 73** – portrait tout à la fois symbolique et personnel du comédien, peut-être même, selon certains, autoportrait –, c'est en les transposant dans l'irréel du rêve, de la féerie que ce délicat coloriste et non moins remarquable dessinateur donne libre cours à son génie : c'est comme peintre de "fêtes galantes" qu'il fut reçu, le 28 août 1717, à l'Académie royale de peinture et de sculpture, sur présentation du *Pèlerinage à Cythère*, dont une seconde version, plus achevée, mais moins légère, est conservée au palais de Charlottenburg, à Berlin. Un art tout de sensibilité et de poésie qui pour plusieurs décennies donnera le ton à la peinture française, qu'elle persiste dans le genre galant, mais de façon plus libertine et plus décorative avec François Boucher, plus intimiste et plus "enlevée" avec Honoré Fragonard **74**, ou qu'avec les natures mortes et les portraits **121** de Jean-Baptiste Chardin elle rejoigne le courant réaliste.

Jean-Baptiste Greuze lui-même, le moralisateur, n'est-il pas gracieux à la manière de son temps quand il peint **La Cruche cassée 75** (1777) ?

Louis Le Nain
68 **Famille de paysans**
Vers 1643

Sully 4, Deuxième étage

Nicolas Poussin
69 Les Bergers d'Arcadie
Vers 1640

Richelieu 3, Deuxième étage

Dans la seconde moitié du XVIIIe siècle, une réaction de plus en plus vive va se faire jour contre les facilités d'une peinture jugée, à la longue, trop spirituelle, trop charmante, trop occupée de réalité quotidienne. Concurremment avec un renouveau d'admiration pour l'Antiquité gréco-romaine, remise en honneur par les découvertes archéologiques, une profonde aspiration idéaliste, dans tous les domaines, appelle un art plus simple, plus grave, plus héroïque. De ce besoin naîtra le néo-classicisme, dont **Le Serment des Horaces 76**, succès du Salon de 1785, constitue en quelque sorte le manifeste : grandeur morale ou historique du sujet, équilibre de la composition rythmée comme celle d'un bas-relief antique, noblesse des attitudes, exactitude des anatomies, primauté du dessin sur la couleur, tout y est dit par Louis David. A cet impérieux doctrinaire et à ses élèves la Révolution, puis l'épopée napoléonienne allaient permettre de s'exprimer avec éclat : **Le Sacre 77**, peint de 1805 à 1807 par David, qui à cette occasion donne toute la mesure de son talent de portraitiste, et **Bonaparte visitant les pestiférés de Jaffa 78**, exécuté en quelques mois de 1804 par Antoine Gros, comptent parmi les toiles les plus grandes et les plus célèbres du Louvre. Mais, en dépit de la consécration officielle, il ne s'agit nullement d'un règne sans partage : la sensibilité, le charme poétique de Pierre-Paul Prud'hon **79** prolongent les grâces du XVIIIe siècle ; et l'on décèle déjà du romantisme dans l'œuvre d'Anne-Louis Girodet. Au vrai, la couleur et le souffle épique des *Pestiférés de Jaffa* n'autorisent-ils pas la même prévision ?

Le Radeau de la Méduse 80, présenté au Salon de 1819 par Théodore Géricault, est souvent considéré comme la première manifestation de notre romantisme pictural. La fougue et l'intensité dramatique qui, de cette illustration d'un fait divers (la survie de quinze naufragés

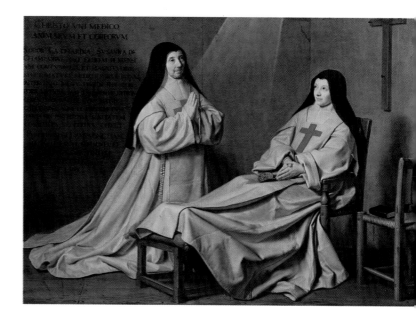

Claude Gellée, *dit* LE LORRAIN

70 Port de mer

1639

Richelieu 3, Deuxième étage

Philippe de CHAMPAIGNE

71 L'Ex-voto de 1662

Sully 5, Deuxième étage

Hyacinthe RIGAUD

72 **Louis XIV en habit de sacre**

1701

Sully 5, Deuxième étage

d'une frégate partie en juillet 1816 pour une expédition au Sénégal), font une des pièces maîtresses de la peinture française, justifient, en tout cas, qu'elle soit exposée dans la même galerie que les chefs-d'œuvre d'Eugène Delacroix, avec qui triomphe la nouvelle école.

Triomphe de la couleur, du mouvement, de la passion : une révolution. Quelle toile, entre les quelque soixante de ce génial artiste conservées au Louvre, en rendra le mieux compte ? La révolutionnaire **Liberté guidant le Peuple 81**, inspirée par les journées de juillet 1830 ? Peut-être préférera-t-on le Delacroix assagi de la *Prise de Constantinople par les Croisés* (1841), où l'action tumultueuse de la manière précédente est tempérée, harmonisée par la noblesse de la composition. Mais ce serait négliger un aspect capital de l'art de ce somptueux coloriste que de ne point citer les *Femmes d'Alger dans leur appartement (*1834), où la lumière joue un rôle si important, et, sans doute aussi, s'exposer à ne rien comprendre à son âme tourmentée que d'oublier le **Portrait de Frédéric Chopin 82** (1838), où se lit toute l'angoisse de la création romantique.

A Eugène Delacroix il est traditionnel d'opposer Jean-Dominique Ingres : au magicien des masses colorées, le poète de la forme, pour qui "le dessin est la probité de l'art" **122** ; à l'admirateur des Vénitiens et de Rubens, celui des Florentins du XVe siècle et de Raphaël voué à la pureté de la ligne, au raffinement de la courbe que lui enseignèrent aussi les peintures des vases grecs ; à l'ardent défenseur des droits de l'imagination, l'esprit clair et réaliste, classique par la netteté, la franchise de l'observation. Trois tableaux peuvent assez bien illustrer, chacun dans son genre, l'esthétique de ce bourgeois solide et serein, capable néanmoins, dans sa ferveur pour la beauté du corps féminin, des inspirations les plus voluptueuses : l'*Apothéose d'Homère* (1827), composition destinée à

Antoine WATTEAU
73 **Gilles**
Vers 1718

Sully 5, Deuxième étage

Honoré FRAGONARD
⁷⁴ Les Baigneuses
Vers 1770

Sully 6, Deuxième étage

la décoration d'un plafond du palais du Louvre, où elle devait s'offrir comme une profession de foi ; le *Portrait de M. Bertin* (1832), fondateur du *Journal des Débats*, image presque symbolique de la grande bourgeoisie du temps ; **Le Bain turc 84** (1862), synthèse et aboutissement d'une longue vie de recherches sur le thème des baigneuses. L'"ingrisme", lui aussi, fit école.

Théodore Chassériau réussit, avec un rare bonheur, à le concilier avec l'art du rival de son maître : sa **Toilette d'Esther 83** (1842) est digne de l'un comme de l'autre.

Le romantisme ayant réveillé le goût de la nature, le paysage, à partir de 1830, occupe à nouveau une place importante dans la peinture française. Dans ce genre, Camille Corot, dont le Louvre possède plus de cent trente toiles, se rattache à la tradition classique, celle de Poussin et de Claude Lorrain, mais la fraîcheur de sa vision poétique, son goût de plus en plus marqué pour les jeux subtils de la lumière l'orientent vers une liberté picturale qui prélude à l'impressionnisme **85,86**. Davantage épris de réalisme, la plupart des autres paysagistes suivent l'exemple des Hollandais du XVIIe siècle ; nombre d'entre eux se fixent à l'orée de la forêt de Fontainebleau, à Barbizon qui donne son nom à une école. Le plus significatif d'entre eux, Théodore Rousseau **87**, y fut rapidement rejoint par Dupré, Diaz, Daubigny, Jacque. Par leurs paysages dépourvus de tout prétexte littéraire, ils se faisaient les chantres de la nature, des arbres et des eaux, en interprétant la vibration de l'atmosphère et en différenciant l'intensité de la lumière suivant les heures pour un même site. En cela ils devançaient les célèbres "séries" des impressionnistes. Le plus souvent, l'homme est absent de leurs compositions. On a compris chez eux une fuite devant les progrès de la civilisation, du monde industriel et de toutes les ques-

Jean-Baptiste Greuze
75 La Cruche cassée

1777

Sully 6, Deuxième étage

Louis David
76 Le Serment des Horaces

1784

Denon 9, Premier étage

Louis DAVID

77 **Le Sacre de Napoléon 1er à Notre-Dame de Paris, le 2 décembre 1804**

(détail)

1805-1807

Denon 9, Premier étage

tions d'ordre social qui se posaient alors.
En cela ils s'opposaient à Millet, à
Courbet, à Daumier, dont les toiles exal-
tant la condition humaine du paysan ou
du citadin, se trouvent maintenant exposées au musée d'Orsay.

Antoine GROS

78 **Bonaparte visitant les pestiférés de Jaffa**

1804

Denon 8, Premier étage

Pierre-Paul PRUD'HON

79 **L'Impératrice Joséphine**

1805

Denon 9, Premier étage

Théodore GÉRICAULT
80 Le Radeau de la Méduse
1819
Denon 8, Premier étage

Eugène DELACROIX

81 La Liberté guidant le peuple

1830

Denon 8, Premier étage

Eugène DELACROIX

82 Portrait de Frédéric Chopin

1838

Sully 7, Deuxième étage

Théodore CHASSÉRIAU
83 La Toilette d'Esther
1842
Sully 7, Deuxième étage

Jean-Dominique INGRES
84 Le Bain turc
1862
Sully 7, Deuxième étage

75

Camille Corot

85 Souvenir de Mortefontaine

1864

Sully 7, Deuxième étage

Camille Corot

86 La Dame en bleu

1874

Sully 7, Deuxième étage

Théodore Rousseau
87 Sortie de forêt à Fontainebleau

Sully 7, Deuxième étage

Des écoles étrangères, l'italienne est la mieux représentée au Louvre, non seulement parce que c'est elle qui pourvut, et de façon prestigieuse, au premier fonds des collections royales de peintures, mais encore parce qu'elle fut de tous temps fort appréciée en France. Aucune phase de son évolution, de la seconde moitié du XIIᵉ à la fin du XVIIIᵉ siècle, qui ne soit ici illustrée par plusieurs chefs-d'œuvre de réputation universelle.

Deux grands panneaux, provenant l'un et l'autre de l'église San Francesco de Pise, témoignent avec éclat des premiers temps de la peinture florentine : la majestueuse **Vierge aux Anges 88** (vers 1270) de Cimabue où, par l'attitude plus libre, plus humaine des personnages, s'esquisse un commencement de réaction contre le hiératisme des modèles byzantins ; le *Saint François d'Assise recevant les stigmates* (vers 1300) de Giotto, où s'accomplit la libération. Volet d'un petit polyptique portatif – dont les autres éléments sont au musée royal des Beaux-Arts d'Anvers et au musée de Berlin-Dahlem –, le *Portement de Croix* peint par Simone Martini pendant son séjour à la cour pontificale d'Avignon (1340-1344), signale de son côté, parmi les primitifs des autres écoles de la péninsule, l'importante contribution des artistes siennois.

Au Quattrocento (XVᵉ siècle), sous la double influence de l'architecture et de la sculpture, la peinture italienne s'engage dans les voies de la Renaissance. Encore médiéval par le choix du sujet et par le mysticisme qui l'inspire, **Le Couronnement de la Vierge 90**, exécuté par Fra Angelico en 1434-1435 pour l'église de San Domenico de Fiesole, marque bien, dans nos collections, l'orientation nouvelle : l'ampleur et l'équilibre de la construction, le respect de la perspective, la disposition des personnages libérée des schémas traditionnels, sont autant de signes évidents d'un modernisme

CIMABUE
88 La Vierge aux Anges
Vers 1270

Denon 10, Premier étage

GIOTTO
89 La Prédication aux oiseaux
A la prédelle du retable de saint François d'Assise,
vers 1300
Denon 10, Premier étage

Fra ANGELICO
90 Le Couronnement de la Vierge
1434-1435
Denon 10, Premier étage

79

qu'accentuent encore les scènes de la vie
de saint Dominique figurées à la prédelle. Novatrices aussi les recherches
de Paolo Ucello lorsqu'il peint vers
1450-1455, pour les Médicis, l'épisode de
La Bataille de San Romano 91 que conserve
le Louvre – un second est aux Uffizi de
Florence, un troisième à la National
Gallery de Londres : le soin avec lequel
sont rendus, par d'audacieux raccourcis,
le volume et la profondeur, la stylisation
décorative des formes, soulignée par la
chaleur des couleurs, confèrent à cette
œuvre la monumentalité d'un haut-
relief. Plus ciselé, plus géométrique, plus
savant est **Le Calvaire 92** dont, en 1459,
Andrea Mantegna orna la partie centrale
de la prédelle d'un retable destiné à
l'église de San Zeno de Vérone – les
parties latérales sont au musée de Tours.
De Sandro Botticelli, partagé entre le
christianisme et l'humanisme, deux
grandes compositions rappellent le trait
aigu et sinueux, les coloris délicats et
transparents, le style extrêmement raffi-
né, bien fait pour exprimer la grâce
maniérée d'allégories aux visages tristes
et mystérieux : les fresques **93**, datables
de 1483, qui proviennent de la villa
Lemmi (près de Florence), à l'origine
propriété des Tornabuoni, amis
des Médicis. L'"âge d'or" (fin du XVe-
première moitié du XVIe siècle) de la
Renaissance italienne brille au Louvre
d'un singulier éclat. Par la présence,
d'abord, d'un ensemble unique au
monde de tableaux de Léonard de
Vinci, à commencer par celle de l'œuvre
la plus admirée et la plus commentée
de la peinture universelle : le portrait
dans lequel il semble raisonnable de voir
les traits de Monna Lisa Gherardini,
mariée en 1495 au patricien florentin
Francesco del Giocondo, d'où le surnom
de **Joconde 94** .
A ce tableau, qu'il peignit en 1503 et
1505, Léonard était si attaché qu'il
l'emporta avec lui lorsqu'en 1516 à
l'appel de François Ier, il vint s'établir en
France, près d'Amboise, au château de

Paolo UCELLO
91 La Bataille de San Romano
Vers 1450-1455

Denon 10, Premier étage

Sandro BOTTICELLI
93 **Fresque de la villa Lemmi**
(détail)
Vers 1483

Denon 8, Premier étage

Andrea MANTEGNA
92 **Le Calvaire**
1459

Denon 10, Premier étage

Cloux, où il mourut trois ans plus tard : la *Joconde* devint alors la pièce la plus précieuse du "cabinet des tableaux" du roi. De l'énigmatique sourire, du merveilleux modelé du visage, du dégradé des valeurs qui fait glisser la lumière sur les formes, de l'atmosphère vaporeuse et irréelle dans laquelle, à l'arrière-plan, baigne le paysage, tout a été dit, comme ont été longuement étudiées la mystérieuse poésie et la science déjà parfaite de la *Vierge aux Rochers*, commandée en 1483 par la confrérie de la Conception de San Francesco Grande de Milan, ou encore le symbolisme et la spiritualité de cet autre chef-d'œuvre, postérieur de quelques années à la *Joconde*, qu'est **La Vierge, l'Enfant et sainte Anne 95**, commandé pour le maître-autel de leur église par les Servites de Florence.

Plusieurs tableaux de Raphaël, aujourd'hui au Louvre, appartinrent aussi à François Iᵉʳ. Ce fut très vraisemblablement le cas de celui qui, dans nos collections, traduit le mieux l'idéal d'harmonie de ce peintre : la *Vierge à l'Enfant avec saint Jean-Baptiste* que, en raison du caractère campagnard de la scène, on appelle traditionnellement **La Belle Jardinière 96**. Guère moins célèbre est, dans un style plus libre, le portrait que fit Raphaël, vers 1514-1515, de son ami *Balthasar Castiglione*, poète, diplomate, "le meilleur chevalier du monde", au dire de l'empereur Charles-Quint ; il fut acquis par Louis XIV aux héritiers de Mazarin, en 1661. La même année, de même provenance, devenait aussi propriété royale une autre œuvre bien connue de cette époque, d'un art moins intellectuel, plus détendu par la sensualité : le *Sommeil d'Antiope* (vers 1524-1525), de Corrège.

C'est à Venise que cette dernière tendance l'emporte, et de façon magistrale. Jusqu'à la fin du XVIᵉ siècle, les Vénitiens vont peindre, ni par pitié ni pour essayer leur science, mais pour

Léonard De Vinci
94 **La Joconde (Monna Lisa)**
Vers 1503-1506

Denon 8, Premier étage

Léonard DE VINCI
95 La Vierge, l'Enfant et sainte Anne
Vers 1506-1510

Denon 8, Premier étage

exprimer directement ce qu'ils ressentent devant un paysage, des draperies ou des nudités ; à la finesse du dessin et aux délicatesses du modelé, chères aux Florentins, ils préféreront les masses générales de couleurs et de lumière : "maniera moderna" dont Giorgione sera l'initiateur et son élève Titien le plus illustre représentant. Qui, du maître ou du disciple, est l'auteur du *Concert champêtre* ? Longtemps attribué à Giorgione, le tableau datable de 1510-1511 passe plutôt aujourd'hui pour être de la main de Titien. La comparaison stylistique avec **La Mise au Tombeau 97**, exécutée par celui-ci une quinzaine d'années plus tard – et entrée dans les collections royales, comme le *Concert champêtre*, en 1671 – indique, en tout cas, une étroite parenté. Du grand destin décoratif de la peinture vénitienne à la génération suivante, le Louvre possède deux insignes témoins : les gigantesques **Noces de Cana 98** de Véronèse, commandées en 1562 et achevées en 1563 pour le réfectoire du couvent de San Giorgio Maggiore à Venise et l'esquisse de l'immense composition dont Tintoret fut chargé, en 1588, d'orner la salle du Grand Conseil de la Sérénissime, au palais des Doges : le *Paradis*.

Vers la fin du XVIe siècle, s'ouvre en Italie un nouveau chapitre de l'art pictural. A Bologne, dans l'académie qu'ils fondent en 1585 – première école des Beaux-Arts –, les Carrache enseignent un éclectisme qui, dans les paysages d'Annibal Carrache, comme la *Chasse* et la *Pêche* du Louvre, se colore de naturalisme. Plus révolutionnaire est le Caravage, dont l'esthétique et la technique exerceront une profonde influence sur la peinture européenne, française en particulier. Sa **Mort de la Vierge 99**, commandée en 1605 pour l'église Santa Maria in Trastevere de Rome, fit scandale par le réalisme de la scène, jugée trop plébéienne, qu'accentue le contraste, jugé trop dramatique, des zones

Raphaël
96 La Belle Jardinière

1507

Denon 8, Premier étage

Titien
97 La Mise au Tombeau
Vers 1525

Denon 9, Premier étage

d'ombre et des parties éclairées ; elle n'en suscita pas moins l'admiration de ceux qui y reconnurent les signes d'une salutaire régénération.

A Venise, au XVIIIe siècle, la peinture italienne jette ses derniers feux. Des œuvres de cette période, les plus remarquées, dans nos collections, sont celles de Francesco Guardi **100** : une suite de tableaux – dix sur les douze qui la composaient à l'origine – commémorant les festivités organisées à l'occasion du couronnement du doge Alvise Mocenigo IV.

VÉRONÈSE

98 **Les Noces de Cana**

(détail)

1563

Denon 9, Premier étage

Caravage
99 **La Mort de la Vierge**
Vers 1605

Denon 9, Premier étage

Francesco Guardi
100 **Le Doge se rend à la Salute**
Vers 1770

Denon 10, Premier étage

87

Moins riches, au Louvre, que l'italienne, les écoles flamande et hollandaise y sont néanmoins représentées par maints chefs-d'œuvre désormais redéployés dans l'aile Richelieu, assez significatifs pour offrir de chacune, un panorama presque complet.

Pour la peinture flamande, le départ est donné avec deux pièces capitales : **La Vierge d'Autun 101** (vers 1435) de Jan van Eyck, qui provient de la collégiale de cette ville, à laquelle l'avait offerte Nicolas Rolin, chancelier de Bourgogne, et le *Triptyque Braque* (vers 1452) de Rogier van der Weyden, probablement exécuté à la demande de Catherine de Brabant, en mémoire de son mari décédé, Jehan Braque. Parmi les œuvres de la seconde moitié du XVᵉ siècle, plusieurs tableaux de Hans Memling retiennent l'attention, notamment son **Portrait de femme âgée 102** (vers 1470-1475) ; parmi celles du XVIᵉ siècle **Le Prêteur et sa femme 103** (1514), de Quentin Metsys, une des sources de la peinture de genre aux Pays-Bas, et **Les Mendiants 104** (1568), de Pieter Brueghel l'Ancien, qui seraient, entre autres interprétations, une allusion à la révolte des "gueux" contre le gouvernement de Philippe II d'Espagne. La domination de Peter-Paulus Rubens sur l'école flamande du XVIIᵉ siècle est illustrée au Louvre de brillante façon : par deux admirables portraits que le maître fit de sa seconde femme, *Hélène Fourment* et de ses enfants, par cette *Kermesse* (vers 1635-1638), tourbillonnante de vie, qu'étudièrent avec profit plusieurs artistes français (Watteau, Fragonard, Delacroix...), par, surtout, le vaste ensemble décoratif réalisé entre 1622 et 1625, à la demande et à la gloire de la reine Marie de Médicis, pour une galerie du palais du Luxembourg et dont un des morceaux les plus connus autre source d'inspiration pour ces mêmes artistes français – est le **Débarquement de Marie de Médicis à Marseille 105** . Des nombreux portraits de

Jan Van Eyck
101 La Vierge d'Autun
Vers 1435

Richelieu 3, Deuxième étage

Hans MEMLING

102 **Portrait de femme âgée**

Vers 1470-1475

Richelieu 3, Deuxième étage

Quentin METSYS

103 **Le Prêteur et sa femme**

1514

Richelieu 3, Deuxième étage

Charles Iᵉʳ d'Angleterre que laissa
Anton van Dyck, "peintre ordinaire du
Roi", celui du Louvre **106** passe pour le
plus beau ; de même, tient-on les *Quatre
Evangélistes* (vers 1617-1618) pour une
des meilleures toiles de la première
période de Jacob Jordaens.

Pieter B\ʀᴜᴇɢʜᴇʟ l'Ancien
104 **Les Mendiants**
1568

Peter-Paulus R\ᴜʙᴇɴs
105 **Débarquement de Marie de Médicis à Marseille**
1622-1625

Anton VAN DYCK
106 Portrait de Charles Ier d'Angleterre
Vers 1635
Richelieu 2, Deuxième étage

Dans la collection hollandaise, tous les grands noms sont excellemment présents. Jérôme Bosch, avec un panneau des dernières années du XVe siècle, **La Nef des fous 107**, allégorie presque surréaliste, où sont stigmatisées les "folies" du goût et de l'ocre ou, plus généralement, les vices du temps ; Lucas de Leyde, avec un paysage fantastique, *Loth et ses filles* qui, vers 1509-1517, prélude, dans un style maniériste, au "luminisme" hollandais du siècle suivant ; Frans Hals, avec un portrait dit de caractère, **La Bohémienne 108** (vers 1628), caravagesque dans sa liberté et sa hardiesse ; Jan Vermeer de Delft, avec **La Dentellière 109** (1664), où la subtile perfection de la lumière, de la couleur et de la touche exprime à merveille, en la poétisant, la sérénité de la vie domestique et **L'Astronome 110**, acquis par dation en 1983 ; Jakob van Ruysdael, avec un des plus beaux paysages de la peinture universelle : le *Coup de soleil* (vers 1670). Mais c'est surtout une impressionnante série de Rembrandt qui fait la gloire de cette collection : portraits, autoportraits**112** notamment, comme celui, si émouvant, où l'artiste âgé de cinquante-quatre ans (1660), s'est représenté usé par les chagrins, la ruine et la solitude, mais toujours confiant en son art ; scènes bibliques, dont les célèbres *Pèlerins d'Emmaüs* (1648), où la magie du clair-obscur s'unit à l'extrême simplicité de la composition pour rendre visible, avec une intensité rarement atteinte, la divine présence ; et cette **Bethsabée 111** (1654), à sa toilette, tenant à la main la lettre par laquelle David lui déclare son amour : un des rares nus de Rembrandt, qui prit pour modèle sa seconde compagne, la dévouée Hendrickje Stoffels.

Jérôme BOSCH
107 La Nef des fous
Vers 1490-1500

Richelieu 3, Deuxième étage

Frans HALS
108 La Bohémienne
1628-1630

Richelieu 2, Deuxième étage

Jan VERMEER de Delft
109 La Dentellière
1664

Richelieu 2, Deuxième étage

Jan VERMEER de Delft
110 L'Astronome
1668

Richelieu 2, Deuxième étage

93

REMBRANDT
112 Portrait du peintre âgé
1660
Richelieu 2, Deuxième étage

Plus modeste, notre collection de peintures allemandes compte cependant
quelques pièces majeures de la plus glo-
rieuse période de cette école (fin du
XVIe siècle), notamment: la *Descente de
Croix* qui formait la partie centrale d'un
grand tryptique exécuté vers 1500 par
l'artiste que l'on appelle le Maître de
Saint Barthélemy (du nom d'un retable
conservé à la Pinacothèque de Munich;
l'**Autoportrait 113** qu'Albrecht Dürer peignit à l'âge de vingt-deux ans (1493) et
qu'il aurait destiné à sa fiancée (le pani-
caut, sorte de chardon, qu'il tient dans
sa main droite est le symbole de la fidé-
lité conjugale); une des plus séduisantes
Vénus (1529) peintes par Lucas Cranach
l'Ancien; le plus célèbre des portraits
que Hans Holbein le Jeune fit du prince
de l'humanisme: **Erasme 114** (1523) rédi-
geant son *Commentaire sur l'Evangile de
saint Marc*.

De même, si restreinte soit sa place au
Louvre, l'école anglaise est néanmoins
brillamment illustrée, pour le
XVIIIe siècle, par des portraits de Sir
Joshua Reynolds **115**, fondateur de la
Royal Academy, de son rival Thomas
Gainsborough et du peintre de toutes les
cours européennes, Sir Thomas
Lawrence; pour le XIXe siècle, par des
paysages romantiques de John
Constable, de Richard Parkes Bonington
et de Joseph M. W. Turner.

Albrecht Dürer

113 **Portrait de l'artiste**

1493

Richelieu 3, Deuxième étage

Hans HOLBEIN le Jeune
114 **Portrait d'Erasme**
1523
Richelieu 3, Deuxième étage

Joshua REYNOLDS
115 **Master Hare**
1788-1789
Denon 10, Premier étage

Quant à la collection espagnole – moins prestigieuse assurément que celle, propriété personnelle de Louis-Philippe, qui, après avoir été exposée au Louvre de 1838 à 1848, suivit le roi en exil, à Londres, où, en 1853, une vente publique la dispersa –, elle se signale de nos jours par une belle série de chefs-d'œuvre : des primitifs, tel le *Martyre de saint Georges* (vers 1430-1435), de Martorell ; un **Christ en Croix** **116** (vers 1580), des plus typiques de la manière du Greco ; d'excellents témoins, surtout, du "siècle d'or" (XVIIe siècle) de cette école, comme le *Pied-bot* (1642), de Ribera, **Les Funérailles de saint Bonaventure** **117** (vers 1630), de Zurbarán, le *Jeune Mendiant* (1650), de Murillo, l'**Infante Marguerite** (vers 1655), fille de Philippe IV, attribuée à Velazquez, ou encore la *Messe de fondation de l'ordre des Trinitaires* (1666), de Carreño de Miranda. Enfin, plusieurs portraits de Goya, dont la merveilleuse **Marquise de la Solana** **118** (vers 1791-1794) de la collection Beistegui.

Greco
116 Le Christ en Croix
Vers 1580
Denon 10, Premier étage

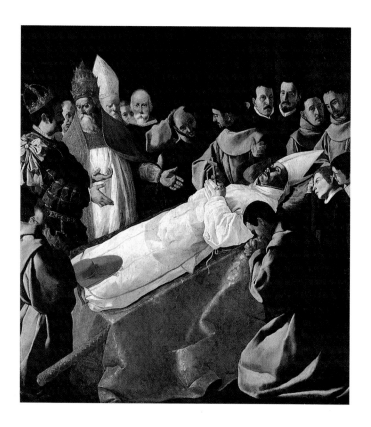

Zurbaran
117 Les Funérailles de saint Bonaventure
1629
Denon 10, Premier étage

GOYA
118 Portrait de la Marquise de la Solana
Vers 1791-1794

Sully 4, Deuxième étage

Arts graphiques

Conservés à l'abri de la lumière et des variations climatiques, le fonds du cabinet des dessins et l'ensemble de gravures de la collection Edmond de Rothschild, installés dans l'aile de Flore, ne peuvent être présentés de façon permanente. Exceptionnellement riches et d'une très grande diversité, ces collections sont accessibles aux amateurs sur demande adressée à la conservation. Elles font l'objet d'expositions temporaires, réguliè- rement organisées sur un thème choisi et ouvertes au public, dans une salle attenante au cabinet ou à proximité de la pyramide, les mêmes jours et aux mêmes heures que le musée. Par ailleurs, un choix de dessins des écoles du Nord, de cartons de Le Brun, de miniatures et de pastels français du XVIIIe siècle est présenté par roulement dans les circuits de peinture.

Léonard De Vinci
119 Isabelle d'Este
Vers 1490

Pierre noire, sanguine et pastel

Rembrandt
120 **Vue du canal Singel, à Amersfoort**
Vers 1655

Plume et lavis brun

Jean-Baptiste CHARDIN
121 **Autoportrait** *dit* à l'abat-jour vert
Vers 1775
Pastel

Jean-Dominique INGRES
122 **La Famille Stamaty**
1818
Mine de plomb

Sculptures

Né de la suppression, sous la Restauration, en 1817, du musée des Monuments français, dont une partie des collections passa alors du couvent des Petits-Augustins au palais du Louvre, ce département reçut par la suite un enrichissement continu, propre à lui faire constituer une illustration aussi complète que possible de l'histoire de la sculpture française, des origines à la fin du XIXᵉ siècle. Obéissant à l'ordre chronologique, cette démonstration est aujourd'hui présentée dans les salles du rez-de-chaussée de l'aile Richelieu qui s'articulent autour des deux grandes cours Marly et Puget.

Sculptures romanes d'abord, pour la plupart étroitement soumises à la fonction monumentale des fragments d'architecture qu'elles décorent, tel, sur un chapiteau retaillé de l'ancienne église de Sainte-Geneviève de Paris, ce **Daniel entre les lions 123**, de la fin du XIᵉ siècle, qu'inspira manifestement un modèle oriental, procuré par quelque tissu sassanide ; tel aussi, adossé à une colonne du cloître avignonnais de Notre-Dame-des-Doms, au chapiteau tout romain, le *Prophète*, de la seconde moitié du XIIᵉ siècle, où l'on a pu déceler l'influence de l'art du portail royal de Chartres.
Œuvres au style rude, mais dont la pureté et la franchise ajoutent à l'intensité de l'expression, comme la douloureuse **Tête de Christ 124**, en bois peint et doré, de la première moitié du XIIᵉ siècle, provenant de Lavaudieu (Haute-Loire), ou la rustique et solennelle **Vierge auvergnate 125**, instrument de l'Incarnation et du Verbe, de l'autre moitié du siècle.

Annoncée par ces derniers reflets du grand art roman que sont les statues-colonnes de l'ancienne église Notre-Dame de Corbeil, *Salomon* et surtout **La Reine de Saba 126** (vers 1180-1190), la sculpture gothique, plus brillante, plus souple, plus aimable, se signale au Louvre par une série de chefs-d'œuvre assez complète pour que l'on puisse suivre, de bout en bout, son évolution : morceaux issus des principaux chantiers du XIIIᵉ siècle, comme la *Sainte Geneviève* qui ornait le trumeau de l'ancienne église parisienne placée sous cette invocation, ou comme, fragment du jubé de la cathédrale de Chartres, le *Saint Mathieu l'Evangéliste écrivant sous la dictée de l'Ange* ; Vierges à l'Enfant du XIVᵉ siècle, telles la *Vierge Ryaux* d'origine lorraine ou **La Vierge de Blanchelande 127**, très caractéristique de la région normande, effigies, gisantes ou debout, de souverains, tel **Charles V 128** exécuté sans doute pour le décor de la porte orientale de l'ancien château du Louvre, œuvre empreinte d'une fine bonhomie, et l'un des plus remarquables portraits sculptés de l'époque médiévale. Une *Tête d'apôtre* attribuée à Jean de Cambrai et provenant de Mehun-sur-Yèvre (Cher) représente le mécénat du duc Jean de Berry. La présentation des sculptures françaises et bourguignonnes du XVᵉ siècle est groupée autour d'un des chefs-d'œuvre les plus connus de notre musée : le **Tombeau de Philippe Pot 129**, grand sénéchal de Bourgogne, important cortège funèbre que tailla, entre 1477 et 1483, un "ymagier" encore non identifié, pour l'église abbatiale de Citeaux.

Au XVIᵉ siècle, sous l'influence de la Renaissance italienne, la sculpture se fait

123 Daniel entre les lions
Paris, fin du XIᵉ siècle
Richelieu 2, Rez-de-chaussée

124 **Christ de Lavaudieu**
Deuxième quart du XIIᵉ siècle

Richelieu 2, Rez-de-chaussée

125 **Vierge auvergnate**
Deuxième moitié du XIIᵉ siècle

Richelieu 2, Rez-de-chaussée

126 **La Reine de Saba**
Corbeil, vers 1180-1190

Richelieu 2, Rez-de-chaussée

en France plus délicate, plus subtile, moins naïve; elle s'orne et s'enrichit, fleurissant d'éléments empruntés au répertoire transalpin. De sa complexe évolution pendant les premières décennies témoigne, plus que tout autre monument peut-être, le retable du **Saint Georges 130** qu'exécuta à Tours, pour la chapelle haute du château de Gaillon, un des derniers "imagiers" gothiques, Michel Colombe, et pour lequel un atelier italien sculpta sur place un encadrement conçu dans le style nouveau. Le triomphe de la Renaissance classique, dans la seconde moitié du siècle, est illustré par une série de pièces magistrales, telles que, de Jean Goujon, les **Bas-reliefs de la fontaine des Innocents 131** (1547-1549), décorés de nymphes et de tritons d'une sensualité toute païenne, de Pierre Bontemps, la statue funéraire de l'amiral *Philippe Chabot* (vers 1570), figuré à demi couché, dans une attitude renouvelée de la statuaire étrusque – de Germain Pilon, inspiré par un célèbre groupe antique, **Les Trois Grâces 132** du monument du cœur d'Henri II (entre 1560 et 1566), ou encore, du même artiste, la statue priante du *Cardinal de Birague* (1584-1585), qui annonce, par l'ampleur décorative des plis du grand manteau, l'art plus mouvementé du siècle suivant.

Marquée par la succession ou l'affrontement de tendances diverses: classicisme, réalisme, maniérisme, baroque, la sculpture française des XVIIᵉ et XVIIIᵉ siècles est, à son tour, abondamment représentée au Louvre. Monuments triomphaux, du genre de celui qui, élevé en 1643 sur le "Pâté du Pont-au-Change", reçut les effigies en bronze de Louis XIII, du dauphin et de la reine **Anne d'Autriche 133**, par Simon Guillain; monuments funéraires, tel l'élégant obélisque que, à la gloire des *Ducs de Longueville*, François Anguier dressa vers 1663 dans la chapelle du couvent des Célestins de Paris; statues destinées à l'ornementation des

127 La Vierge et l'Enfant *dite* de Blanchelande

Premier tiers du XIVᵉ siècle

Richelieu 2, Rez-de-chaussée

128 Charles V

(*détail*)

Paris, vers 1390

Richelieu 2, Rez-de-chaussée

129 Tombeau de Philippe Pot
Dernier quart du XVe siècle
Richelieu 2, Rez-de-chaussée

parcs, comme les quatre groupes équestres exécutés par Coysevox (1706) et Guillaume Coustou (1745) **134** pour le parc de Marly, regroupés dans la cour du même nom et comme le fougueux **Milon de Crotone 135** (1682), œuvre de Puget, pour le parc de Versailles ; morceaux de réception à l'Académie, tel le gracieux **Mercure attachant sa talonnière 136** (1744), de Pigalle, ou la non moins célèbre *Baigneuse* (1755), de Falconnet ; statues des *Grands Hommes de la France*, tel le **Corneille 138** de Caffieri prévues sous le règne de Louis XVI pour orner la Grande Galerie ; portraits, enfin, dont la longue série s'achève sur l'œuvre fécond et varié de Houdon **137**.

Au néo-classicisme de l'époque révolutionnaire et impériale, illustré par la *Paix* de Chaudet, succèdent des tendances différentes suscitées par une nouvelle connaissance de l'Antiquité et la redécouverte de l'univers médiéval. L'expression de la passion se fait jour. De Giraud le *Monument à sa femme et à son enfant morts* offre un bel exemple de cette évolution. L'explosion du romantisme, survenue plus tard chez les sculpteurs, trouve ses plus vigoureux représentants avec Pradier **139** et Rude, dont **Le Pêcheur napolitain 140** innove par la liberté de son attitude, rejoignant en cela Barye, observateur précis du monde animal **141**. Ce mouvement s'exprime aussi avec force dans le *Philopoemen* de David d'Angers et le **Roland furieux 142** de Duseigneur.

Quant aux pièces des écoles étrangères, des Pays-Bas, d'Allemagne, d'Espagne et surtout d'Italie **143, 144**, elles seront visibles dans leur totalité à la fin de 1994 et occuperont les espaces situés à l'entresol et au rez-de-chaussée de la partie occidentale de l'aile Denon. Parmi ces précieuses références, deux chefs-d'œuvre jouissent d'une réputation mondiale, combien justifiée : **L'Esclave** dit **mourant 143** et *L'Esclave* dit *rebelle* que

Michel COLOMBE
130 Saint Georges combattant le Dragon
Début du XVIᵉ siècle
Richelieu 2, Rez-de-chaussée

Jean GOUJON
131 Bas-relief de la fontaine des Innocents
1547-1549
Richelieu 2, Rez-de-chaussée

Germain PILON

132 Les Trois Grâces

Vers 1560

Richelieu 2, Rez-de-chaussée

Simon GUILLAIN

133 Anne d'Autriche

1643

Richelieu 2, Rez-de-chaussée

107

Michel-Ange sculpta, de 1513 à 1515,
pour le tombeau du pape Jules II.
Ecartés du monument, tel qu'il a été
finalement réalisé, ils furent offerts par
l'artiste à son ami Roberto Strozzi, qui
lui-même en fit hommage au roi de
France Henri II, lequel, à son tour, les
donna au connétable de Montmorency,
dont ils ornèrent la demeure, à Ecouen ;
devenus en 1632 la propriété du cardinal
de Richelieu, celui-ci les plaça dans son
château de Poitou, d'où, en 1749, le
maréchal de Richelieu les fit transporter
dans son hôtel parisien ; recueillis en
1792 au musée des Monuments français,
ils entrèrent au Louvre en 1794.
Généralement présentés comme des allégories des Arts libéraux réduits à
l'impuissance par la mort du pape mécè-
ne, il paraît aujourd'hui plus raisonnable
d'admettre que, à l'image des captifs des
"triomphes" antiques, ils étaient destinés
à former, à la partie inférieure du
monument, "la contrepartie terrestre de
l'Apothéose du souverain pontife, qui se
déroulait au sommet". De toute façon,
leur beauté grandiose et torturée exprime intensément, dans une conception
nouvelle et en dépit – ou au contraire,
peut-être à cause – de leur inachèvement,
l'inquiétude personnelle de Michel-
Ange, alors à l'apogée de son génie.

Guillaume COUSTOU
134 **Chevaux de Marly**

1739-1745

Richelieu 2, Entresol

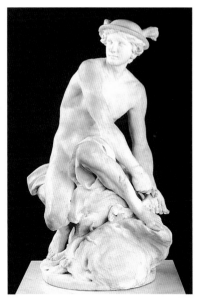

Jean-Baptiste PIGALLE
136 Mercure

1744

Richelieu 3, Rez-de-chaussée

Pierre PUGET
135 Milon de Crotone

1682

Richelieu 3, Entresol

Jean-Antoine HOUDON
137 Louise Brongniart âgée de cinq ans

1777

Richelieu 3, Rez-de-chaussée

Jean-Jacques CAFFIERI

138 **Corneille**

1778

Richelieu 3, Rez-de-chaussée

James PRADIER
139 **Satyre et Bacchante**
1834
Richelieu 3, Rez-de-chaussée

François RUDE
140 Le Pêcheur napolitain
1833
Richelieu 3, rez-de-chaussée

Antoine-Louis BARYE
141 **Le Lion au serpent**
1832-1835

Jean-Bernard *dit* Jehan DUSEIGNEUR
142 Roland furieux
1831-1867
Richelieu 3, Entresol

113

Michel-Ange

143 L'Esclave mourant

1513-1515

Denon 9, Rez-de-chaussée

Antonio CANOVA
144 Psyché et l'Amour
1793
Denon 9, Rez-de-chaussée

Objets d'art

De valeur tout à fait exceptionnelle, tant du point de vue artistique que du point de vue historique, les objets précieux et les pièces de mobilier rassemblés dans ce département, séparé de celui des Sculptures en 1893, proviennent des collections royales, des anciens trésors de Saint-Denis et de l'ordre du Saint-Esprit, du transfert au Louvre, en 1901, de l'ancien musée du Mobilier national, ainsi que, jusqu'à nos jours, de multiples donations et achats. Ils sont exposés au premier étage de l'aile Richelieu et des ailes septentrionales et occidentales de la cour Carrée.

Au premier étage de l'aile Richelieu sont exposés les objets du Moyen Age, de la Renaissance et du début du XVIIe siècle. Depuis les ivoires paléochrétiens tel l'*Ivoire Barberini* représentant un empereur triomphant (Justinien ?) et les ivoires byzantins dont le célèbre **Triptyque Harbaville 145**, du milieu du Xe siècle, où sont figurés, dans le style précis et sophistiqué des monuments de cette époque, le Christ, la Vierge, saint Jean-Baptiste, des apôtres et des saints, le Moyen Age est illustré par des œuvres de tout premier plan parmi lesquelles se détache pour l'époque carolingienne la **Statuette équestre de Charlemagne 146** (IXe siècle) qui provient du trésor de la cathédrale de Metz et, pour la période romane, des émaux champlevés limousins et mosans comme l'**Armilla (bracelet) de la Résurrection 149** (vers 1175-1180) ; l'époque gothique est également marquée par les émaux limousins (vers 1200-1210), tels la plaque de la *Mort de la Vierge* et le *Ciboire d'Alpais* et par des ivoires comme deux œuvres parisiennes du XIIIe siècle particulièrement remarquables :

la **Descente de croix 148** et la séduisante *Vierge* du trésor de la Sainte-Chapelle, à l'élégance suprêmement raffinée, puis par des pièces d'orfèvrerie médiévale de haute qualité, telles que le *Triptyque-reliquaire*, en argent doré, de l'abbaye de Floreffe (Belgique, après 1254), ou les *Bras-reliquaires*, en cristal et argent doré et émaillé, de saint Louis de Toulouse et de saint Luc qui ont été exécutés à Naples.

A ces ensembles chronologiques se rattachent les pièces exceptionnelles du trésor de l'abbaye royale de Saint-Denis : ainsi, l'**Aigle de Suger 147**, vase de porphyre monté en forme d'aigle hiératique

145 Triptyque Harbaville
Byzance, milieu du Xe siècle
Ivoire
Richelieu 2, Premier étage

146 Statuette *dite* de Charlemagne
IXe siècle
Bronze
Richelieu 2, Premier étage

147 Aigle de Suger

Milieu du XIIe siècle

Porphyre et argent doré

Richelieu 2, Premier étage

(argent doré) sur l'ordre de Suger, abbé de Saint-Denis au XIIᵉ siècle, ou la **Vierge de Jeanne d'Evreux** **150**, offerte en 1339 par cette reine à l'abbaye, et les instruments du sacre ou "regalia" – tel le **Sceptre** **151** d'or surmonté d'une statuette de Charlemagne, qui fut ciselé pour Charles V, au XIVᵉ siècle.

De la fin du Moyen Age, citons l'*Autoportrait de Jean Fouquet*, en camaïeu d'or, peint sur un médaillon de cuivre émaillé, œuvre unique pour l'époque, à la fois par sa technique et par son sujet, et le groupe des céramiques hispano-mauresques des XIVᵉ et XVᵉ siècles.

Les collections de la Renaissance exposées dans les nouvelles salles de l'ancien ministère des Finances bénéficient d'une présentation adaptée aux deux grands cycles de tapisserie que possède le département, à savoir la splendide suite des **Chasses de Maximilien** **153** réalisée à Bruxelles vers 1530, sur les dessins de Bernard van Orley et celle non moins célèbre de l'*Histoire de Scipion*, exécutée à la manufacture des Gobelins (fondée en 1662), d'après des cartons de Jules Romain. De la Renaissance italienne, il faut mentionner les bronzes, notamment ceux du maître de Padoue, Andrea Riccio avec **Arion** **152**, et l'ensemble des majoliques. Les émaux peints de la Renaissance française sont remarquables par la présence du grand émailleur de Limoges, Léonard Limosin, et, tout particulièrement, son portrait d'**Anne de Montmorency** **154**. Les éléments de la tenture et le trésor provenant de l'ordre du Saint-Esprit réunis aux côtés de chefs-d'œuvre de l'orfèvrerie française du XVIᵉ siècle, tels que le **casque** et le **bouclier de Charles IX** **155** en fer doré émaillé complètent les collections de cette époque.

Aux arts décoratifs des XVIIᵉ et XVIIIᵉ siècles sont consacrées, outre trois salles dans l'aile Richelieu, les salles du

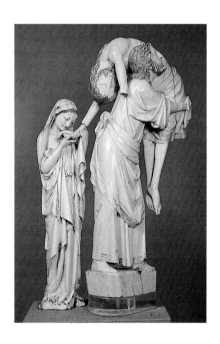

148 Descente de croix
Paris, deuxième moitié du XIIIᵉ siècle
Ivoire
Richelieu 2, Premier étage

149 "Bracelet d'apparat" (armilla) : la Résurrection
Meuse, vers 1175-1180
Cuivre doré et émaillé
Richelieu 2, Premier étage

150 Vierge de Jeanne d'Evreux

Paris, avant 1339

Argent doré, émaux translucides

Richelieu 2, Premier étage

151 Sceptre de Charles V

Avant 1380

Or, perles, pierres précieuses

Richelieu 2, Premier étage

premier étage de l'aile nord de la cour Carrée.

A Richelieu, sont exposés les bronzes français et italiens de la fin du XVIᵉ et du XVIIᵉ siècle, telles les statues d'**Henri** IV et de **Marie de Médicis 156** par Barthélémy Prieur et les œuvres de Jean Bologne et de ses disciples, ainsi que la "salle d'Effiat" qui présente un mobilier du XVIIᵉ siècle : cabinet d'ébène, **lit 157** et fauteuils. L'orfèvrerie de ce siècle est marquée par un chef-d'œuvre, le *Coffre d'or* dit *d'Anne d'Autriche*. Puis, dans la cour Carrée, deux salles illustrent l'art d'André-Charles Boulle, le grand ébéniste du règne de Louis XIV qui, installé au Louvre, se spécialisa dans les meubles de marqueterie de cuivre et d'écaille, ornés d'appliques de bronze doré. La rotonde David-Weill et la galerie Niarchos renferment des pièces majeures de l'orfèvrerie française de la période rocaille, illustrée par le **Surtout du duc de Bourbon 159**, et du néo-classicisme. Dans les salles suivantes, le mobilier de l'époque de Louis XV est notamment représenté par des œuvres de Charles Cressent, ébéniste du Régent, auteur de la **Commode au singe 160** et par une belle série de grands bureaux plats plaqués en bois exotique ou en laque, surchargés de bronzes de style rocaille. Le grand salon d'Abondant offre un décor de boiseries et un mobilier datés du milieu du XVIIIᵉ siècle, extrêmement complets pour cette période. Vers 1760, les lignes des meubles deviennent plus rigides sous l'effet de la réaction néo-classique, tandis que leurs bronzes s'inspirent du vocabulaire ornemental gréco-romain. Ce style est incarné par Jean-François Oeben (meubles à transformation : *Table à la Bourgogne*), puis par ses deux disciples Jean-François Leleu, dont la commode de la chambre du prince de Condé au Palais Bourbon est ici entourée de tapisseries des Gobelins provenant du même palais, et Jean-Henri Riesener (meubles de la reine Marie-Antoinette). Un important ensemble de boiseries

Andrea RICCIO
152 Arion
Padoue, vers 1500
Bronze
Richelieu 3, Premier étage

153 Tapisserie des "Chasses de Maximilien" : Le Mois d'août
(détail)
Bruxelles, vers 1530
Richelieu 3, Premier étage

Léonard LIMOSIN
154 Le Connétable de Montmorency
1566

Email peint sur cuivre

Richelieu 3, Premier étage

155 Casque et bouclier de Charles IX
Paris, vers 1572

Fer doré et émaillé

Richelieu 3, Premier étage

Louis XVI provient de l'hôtel de Luynes, rue Saint-Dominique. Le "cabinet chinois" renferme les meubles plaqués de laque d'Extrême-Orient exécutés par Martin Carlin **161** pour Mesdames, filles de Louis XV.

Le circuit des collections du XIXᵉ siècle est provisoirement divisé en deux parties. Dans la cour Carrée, les œuvres de la Restauration (*lit de Charles X*, 1825) et de la monarchie de Juillet parmi lesquelles se remarque la **Coupe des Vendanges 164** de Froment-Meurice demeurent encore dans les salles de la demi-aile ouest, tandis que dans l'ancien ministère des Finances, l'aile située au nord de la cour Marly, au premier étage, présente les pièces de la fin du XVIIIᵉ siècle (*lit de Madame Récamier*, 1798) et de l'Empire, notamment l'**Athénienne de Napoléon Iᵉʳ 162** et le *Serre-bijoux de l'impératrice Joséphine*, 1809, dans un circuit qui s'achève par la visite des **salons Napoléon III 163**, anciens appartements du ministère d'Etat.

Enfin, le département des Objets d'art compte parmi ses prestigieux trésors, les célèbres Joyaux de la Couronne – comme le fameux "Régent", diamant de 137 carats, acquis en 1717 par Philippe d'Orléans, régent pendant la minorité de Louis XV, et qui orna la **Couronne du sacre 158** de ce souverain. Ils sont présentés dans la galerie d'Apollon, ainsi nommée parce que le peintre Le Brun, qui fut chargé de sa décoration par Louis XIV, en 1661, choisit pour thème le dieu du Soleil, emblème du souverain : thème que reprit Eugène Delacroix lorsque, à l'occasion de la restauration de la galerie par Duban, en 1848, il peignit dans le compartiment central *Apollon vainqueur du serpent Python*.

Barthélemy PRIEUR
156 **Henri IV et Marie de Médicis**
Paris, vers 1610

Bronze

Richelieu 3, Premier étage

157 Lit *dit* du Maréchal d'Effiat
Milieu du XVIIᵉ siècle

Richelieu 3, Premier étage

158 Couronne du sacre de Louis XV

Paris 1722

Denon 8, 1ᵉʳ étage

Jacques RÖETTIERS
159 Surtout du duc de Bourbon

Paris, 1736

Argent

Sully 5, Premier étage

123

Charles CRESSENT
160 **Commode au singe**
Paris, vers 1735-1740

Bois de rose et de violette, bronze doré

Sully 4, Premier étage

Martin CARLIN
161 **Commode**
Paris, vers 1780

Laques du Japon et bronzes dorés

Sully 4, Premier étage

163 Appartements Napoléon III: grand salon

Richelieu 2, Premier étage

Martin-Guillaume Biennais
162 Athénienne de Napoléon Ier aux Tuileries

Paris, début du XIXᵉ siècle

Bronze doré et bois d'if

Richelieu 2, Premier étage

François-Désiré Froment-Meurice
164 Coupe des Vendanges

Paris, vers 1844

Agate et argent émaillé

Sully 4, Premier étage

Crédits photographiques : Réunion des musées nationaux
(D. Arnaudet, M. Bellot, G. Blot, M. Coursaget, C. Jean,
C. Rose, J. Schormans)
ill. 6 : © EPGL - Architecte I.M. Pei-RMN

Cet ouvrage a été achevé d'imprimer en décembre 1994
sur les presses de l'imprimerie Mame à Tours,
sur papier Job couché mat 135 g

Premier dépôt légal : mars 1989
Dépôt légal : décembre 1994
ISBN : 2-7118-3000-4
GG 10 3000